Inhaltsverzeichnis

Trage die fehlenden Zahlen und Punkte ein.

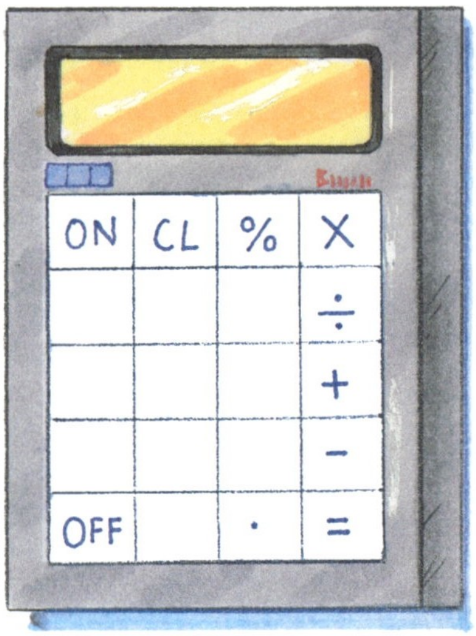

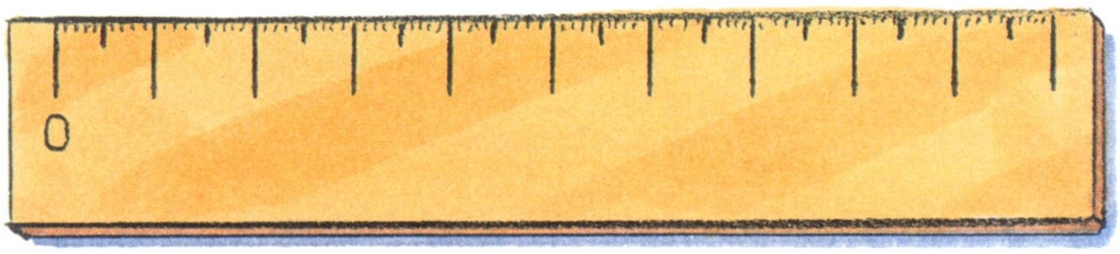

Spure nach: rot, gelb, blau, grün

Wenn du willst, kannst du das Bild weitergestalten.

Zahlen suchen und malen (1)

Suche die versteckten Zahlen. Spure sie farbig nach.

0

1

2

3

4

5

6

7

8

9

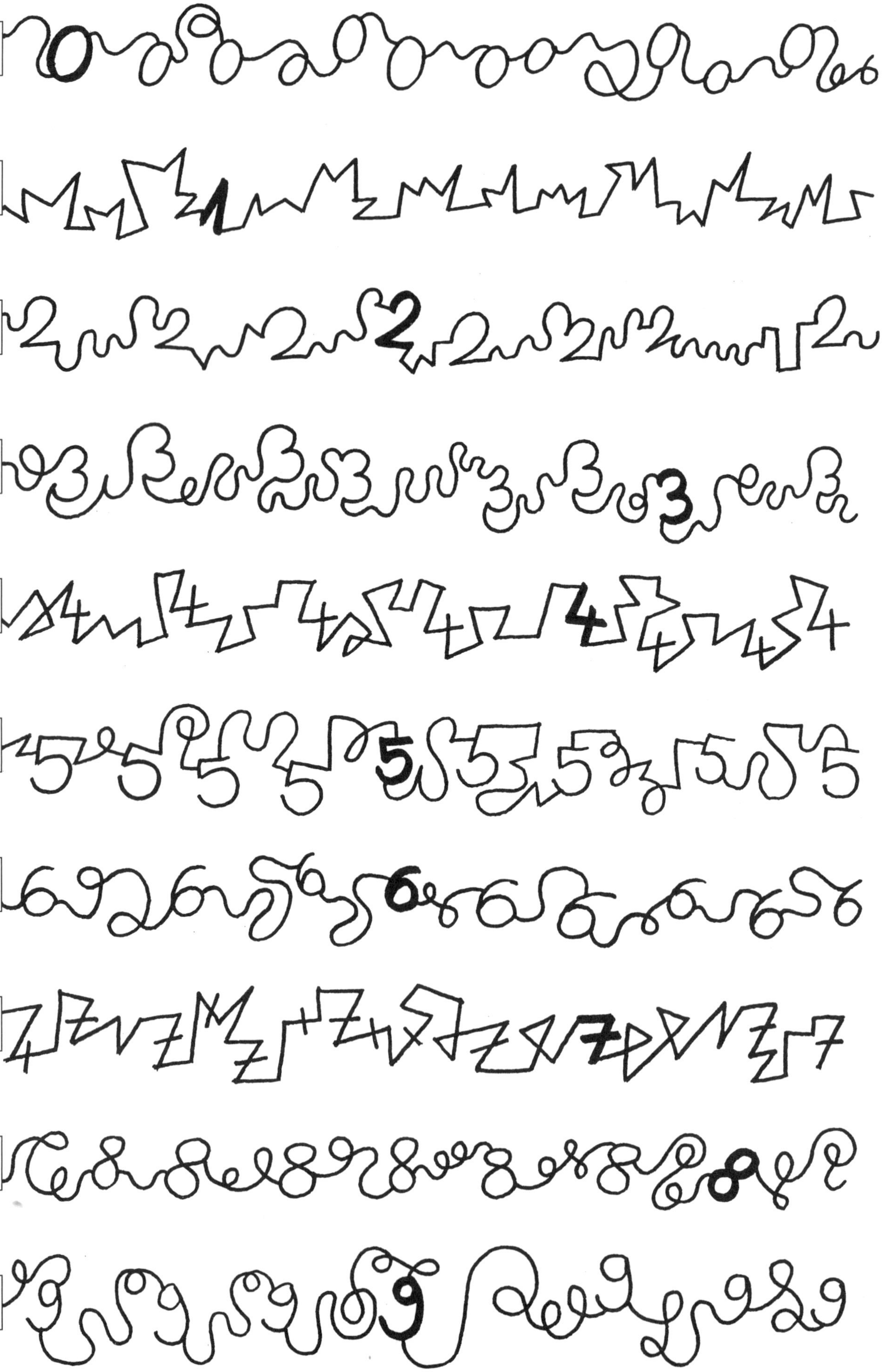

Verbinde die Zahlen in der richtigen Reihenfolge.

Zahlen schreiben (1)

❶ Spure nach.

0 1 2 3 4 5 6 7 8 9 10

❷ Spure nach und führe fort.

0

0 0

1

1 1

2

2 2

3

3 3

4

4 4

5	5																

6	6																

7	7																

8	8																

9	9																

1	0														

0	1	2													

Zähle und schreibe auf.

	7
	___
	___
	___
	___
	___
	___

	___
	___
	___
	___
	___
	___
	___

	___
	___
	___
	___
	___
	___
	___

Tipp: Zähle doch einmal in deinem Klassenzimmer.

❶ Male.

5 	7 	3 	10 

𝍸 | 	|||| 	𝍸 𝍸 || 	𝍸 |||| 

❷ Kreise ein.

Immer 6	Immer 5

Immer 4	Immer 3

Immer 8	Immer 7
	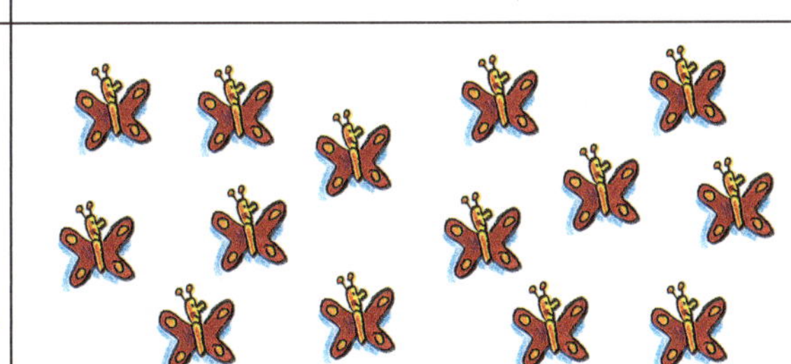

Wie viele sind es? Zähle und trage das Ergebnis in die Tabelle ein.

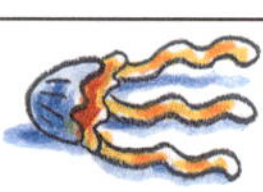	IIIII II	7
		___
		___
		___
		___

		___
		___
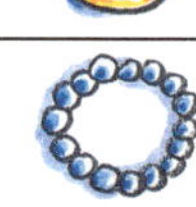		___
		___
		___

❶ Kreise farbig ein.

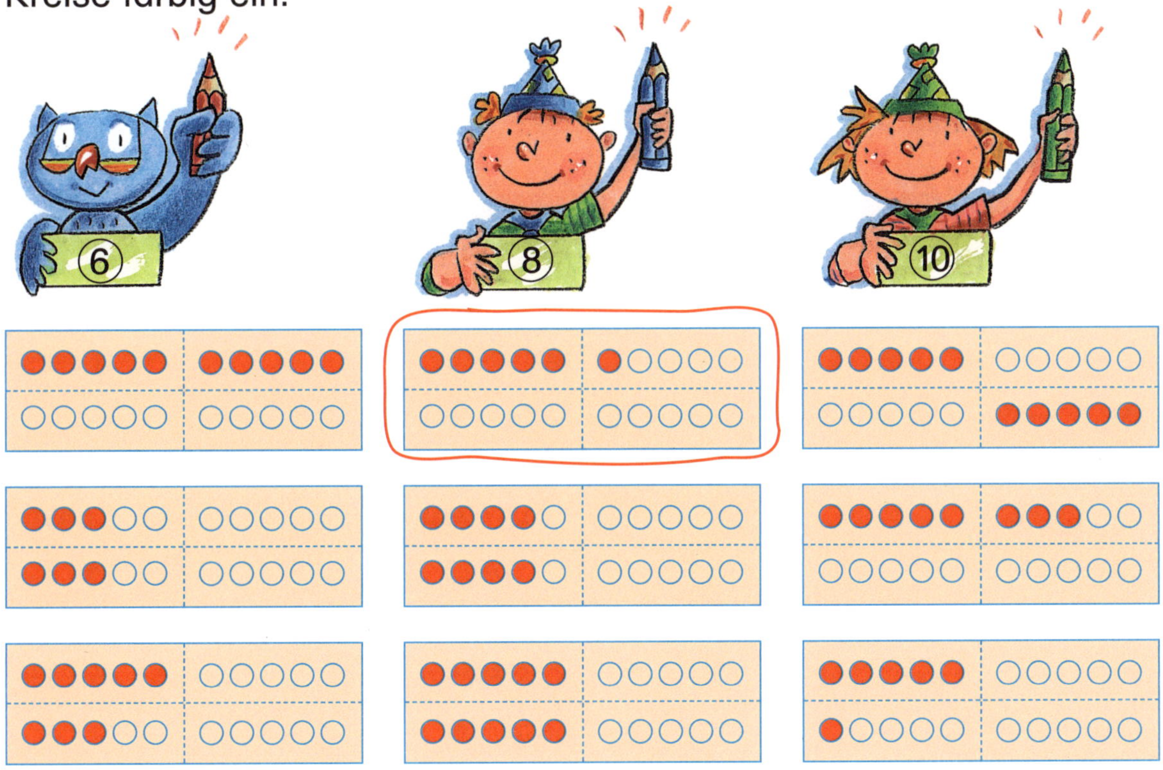

❷ Wie viele sind es?

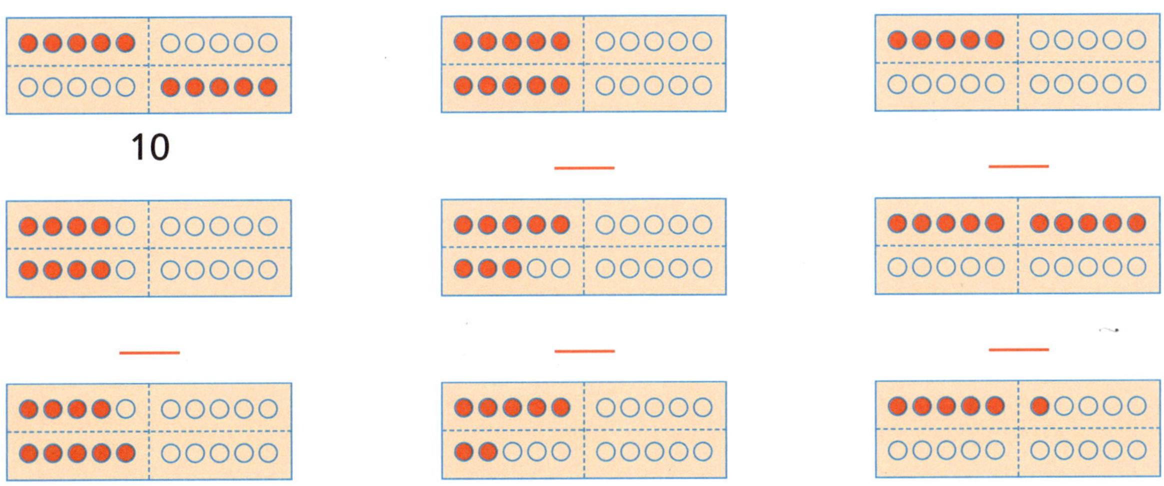

10

❸ Wie viele sind versteckt?

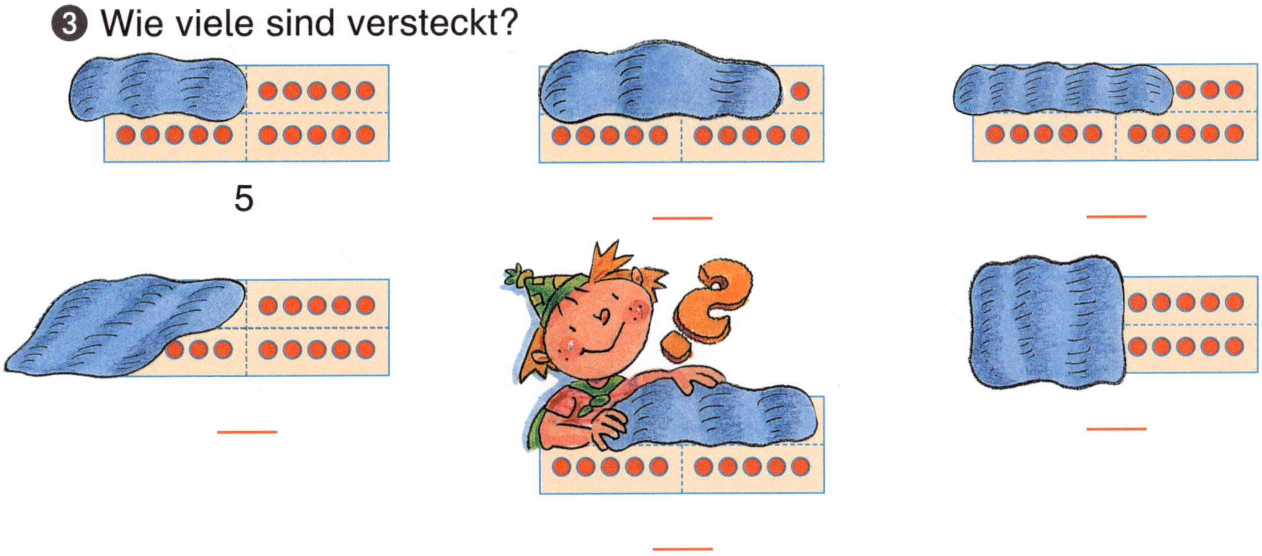

5

Links oder rechts (1)

Male deine linke und deine rechte Hand.
Dein Partner hilft dir.

rechts

links

❶ Male an: linke Hand blau, rechte Hand rot.

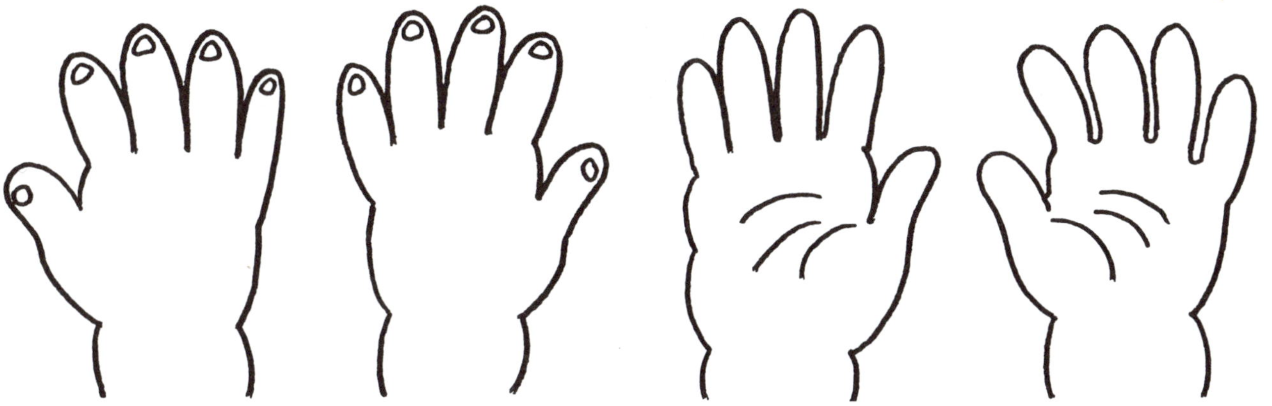

❷

Male an:

die rechte

den linken

das rechte

das linke

Und wie ist es hier?

❸ Welche Farbe kommt als erste an?

Zeichne.

❶ Was liegt unter der  ?

❷ Was liegt über der  ?

❸ Was liegt zwischen der 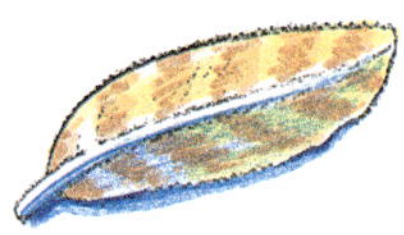 und der  ?

❹ Was liegt links von der  ?

❺ Was liegt rechts von der  ?

❻ Was liegt unter der  und links von der  ?

❶

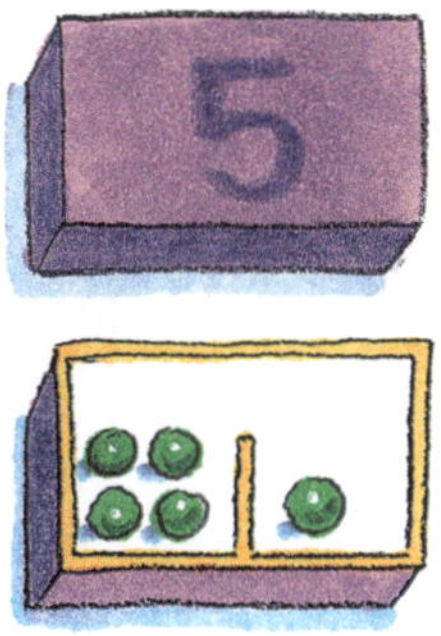

4 + 1

1 + ___

___ + ___

___ + 0

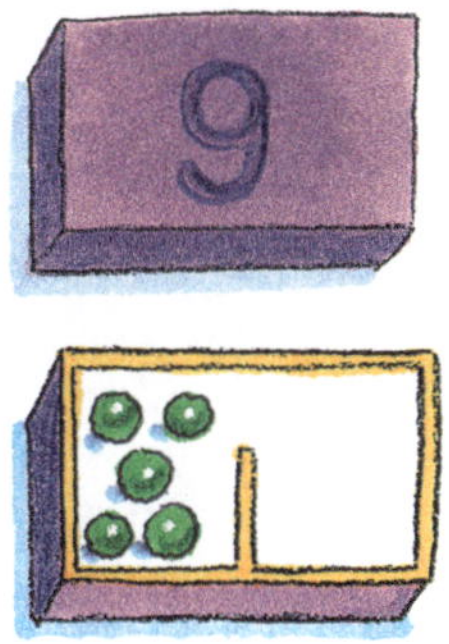

5 + ___

___ + ___

❷

___ + ___

1 + ___

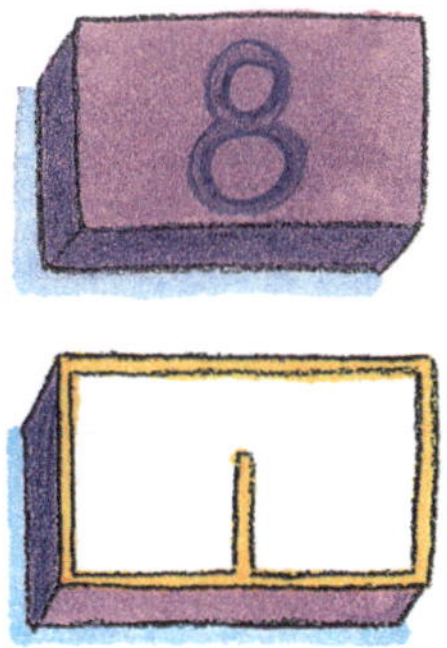

6 + ___

4 + ___

5 + ___

6 + ___

❸

2 + ___
1 + ___
3 + ___
4 + ___

3 + ___
___ + 4
2 + ___
___ + 0

5 + ___
___ + 3
___ + 2
0 + ___

Zerlegungen

❶ Immer 10: Finde alle Zerlegungen.

6 + ___

7 + ___

8 + ___

9 + ___

10 + ___

5 + ___

10 + ___
9 + ___
___ + ___
___ + ___
___ + ___
___ + ___
___ + ___
___ + ___
___ + ___
___ + ___
___ + ___

___ + ___

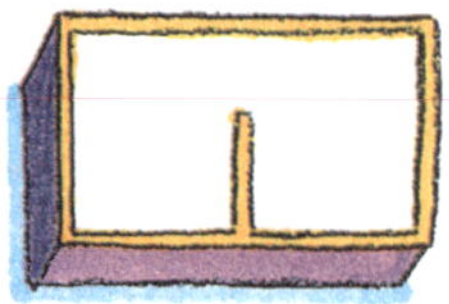

___ + ___

___ + ___

___ + ___

___ + ___

❷

2 + 3

___ + 4

___ + 5

___ + 3

___ + 1

___ + 2

___ + 3

___ + 1

❸

8 + ___
6 + ___
4 + ___

___ + 1
6 + ___
4 + ___

0 + ___
5 + ___
___ + 3

10 + ___
9 + ___
8 + ___

❶ Setze die Zahlen ein und vergleiche mit (>), (=), (<).

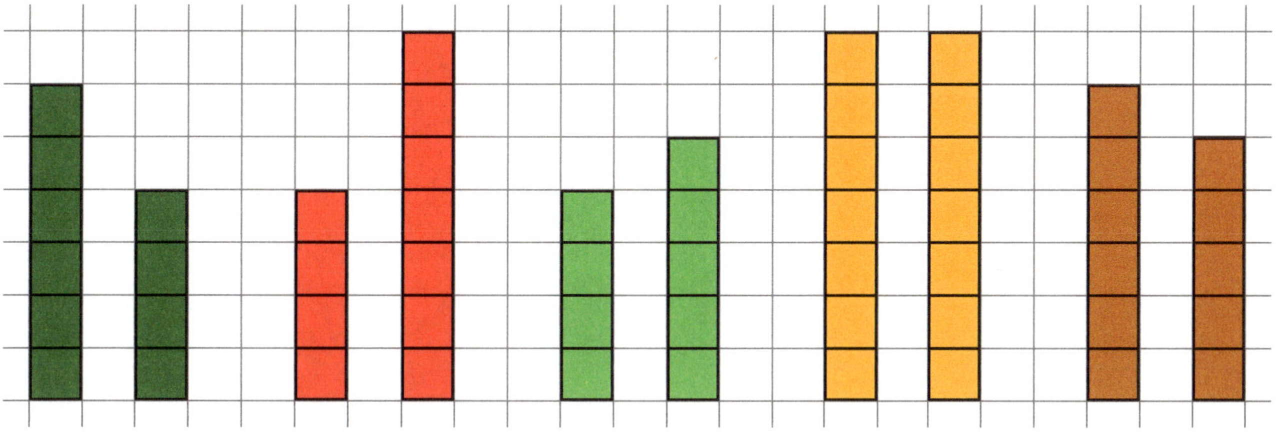

6 (>) 4 4 (<) ___ ___ ◯ ___ ___ ◯ ___ ___ ◯ ___

❷ Zeichne und setze ein: (>), (=), (<).

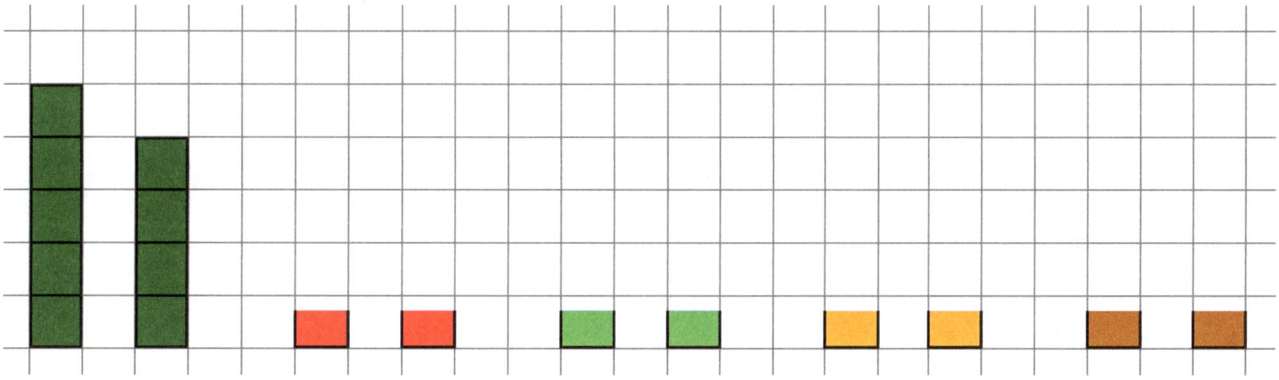

5 (>) 4 4 ◯ 6 6 ◯ 3 3 ◯ 3 6 ◯ 5

❸ Zeichne und setze ein.

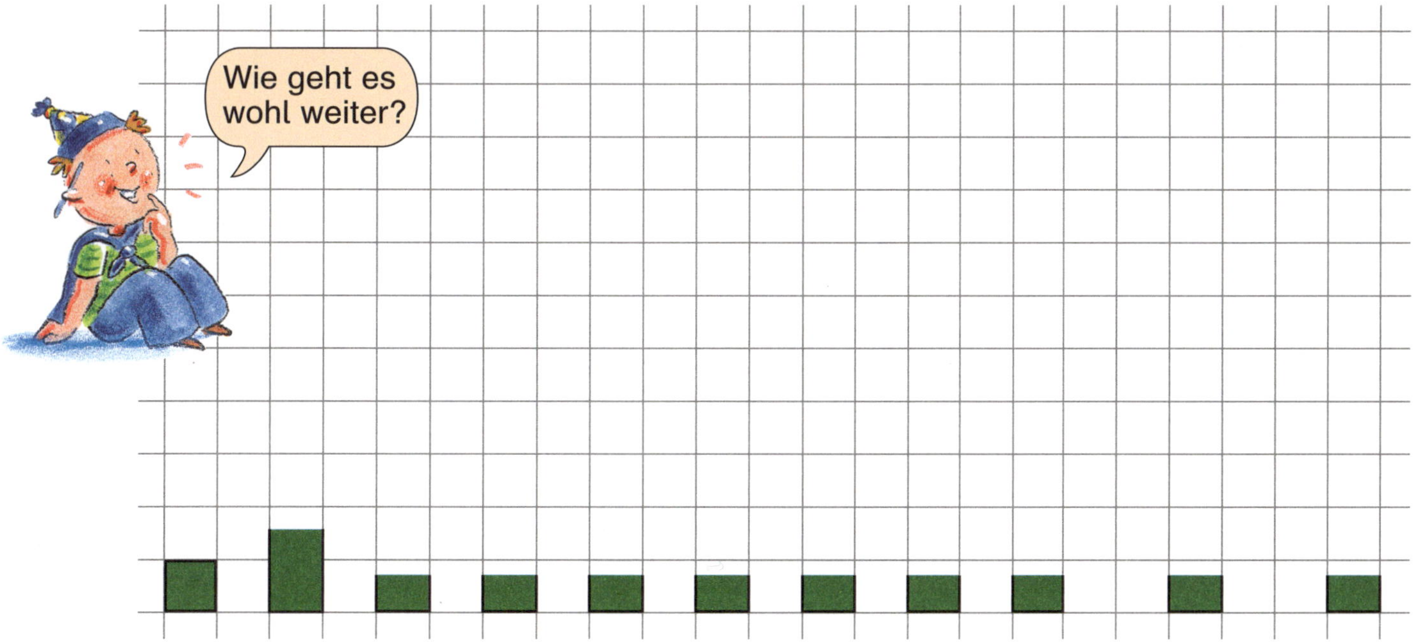

1 (<) 2 (<) 3 ◯ 4 ◯ 5 ◯ ___ ◯ ___ ◯ ___ ◯ ___ ◯ ___ ◯ ___

Zahlen stechen

❶ Wer ist der Sieger? Kreuze an X.

Agata [X] – **Leon** [ ]

3 (>) 2
4 (>) 3
3 (<) 4

Marek [ ] – **Amelie** [ ]

5 ◯ 6
4 ◯ 3
6 ◯ 8

Anna [ ] – **Franz** [ ]

7 ◯ 9
10 ◯ 1
6 ◯ 7

Jule [ ] – **Erkan** [ ]

3 ◯ 3
5 ◯ 2
4 ◯ 6

Hannah [ ] – **Max** [ ]

7 ◯ 9
6 ◯ 5
10 ◯ 8

Lisa [ ] – **Stefan** [ ]

12 ◯ 15
13 ◯ 11
___ (=) 9

❷ Male alle passenden Zahlenfelder aus.

___ (>) 4

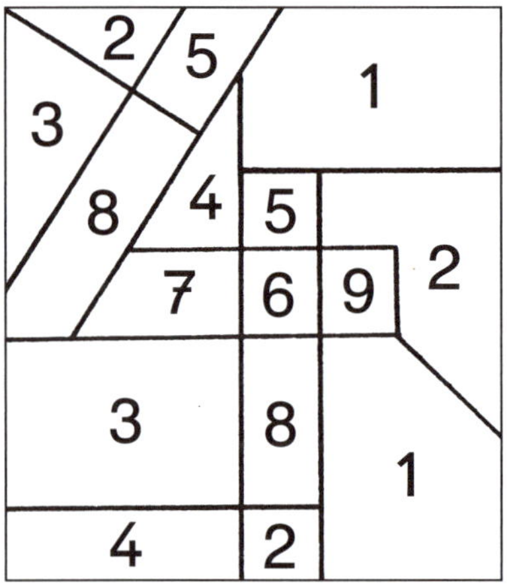

___ (<) 5

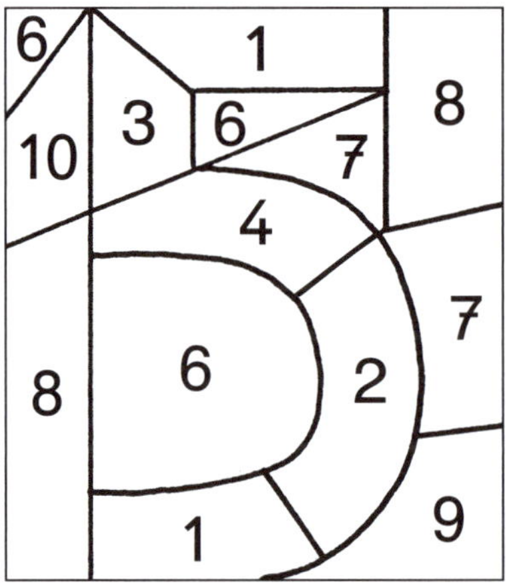

___ (<) 8

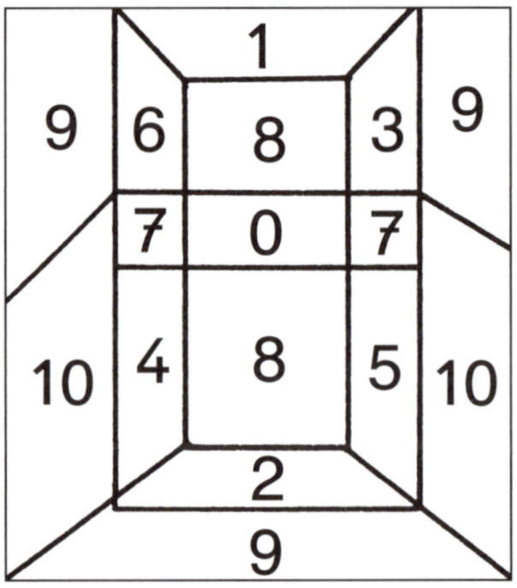

❸ Welche Zahlen passen? Male sie an.

___ (<) 6

3 8 5 9

___ (<) 2

4 3 0 1

___ (>) 4

8 1 2 5

1 Male an: 5 rot, 6 grün, 7 blau, 8 gelb.

Buch S. 6 – 9, 12 – 15, Arbeitsheft S. 4 – 11

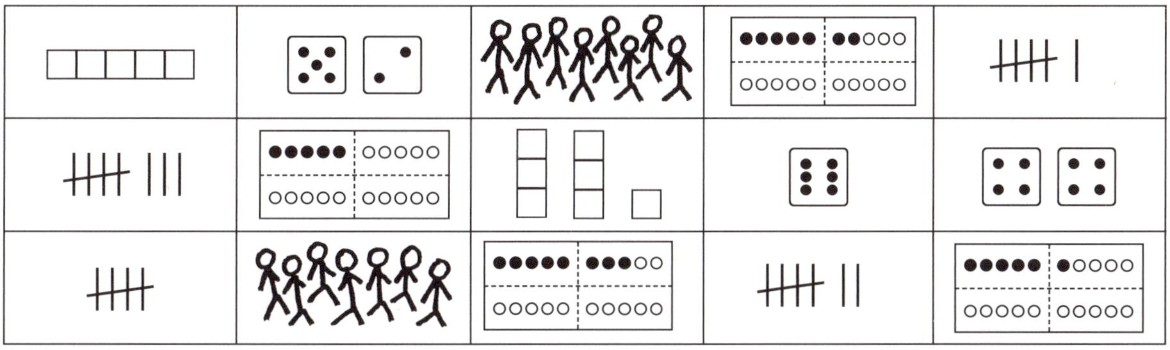

2 Zerlege und setze fort.

Buch S. 20 – 23, Arbeitsheft S. 15/16

9	8	10	7
9 + ___	2 + ___	5 + ___	6 + 1
8 + ___	4 + ___	4 + ___	5 + ___
7 + ___	6 + ___	3 + ___	4 + ___
___ + ___	___ + ___	___ + ___	___ + ___

3 Setze ein: (>), (<), (=).

Buch S. 24 – 22, Arbeitsheft S. 17/18

6 ○ 4	9 ○ 9	9 ○ 0	8 ○ 10
5 ○ 2	7 ○ 6	6 ○ 10	9 ○ 6
3 ○ 10	5 ○ 4	10 ○ 7	10 ○ 10

4 Verbinde.

Buch S. 20 – 23, Arbeitsheft S. 15/16

Plus-Bilder

❶ Wie heißt die Rechnung?

3 + ___ = ___

___ + ___ = ___

___ + ___ = ___

___ + ___ = ___

❷ Male und rechne.

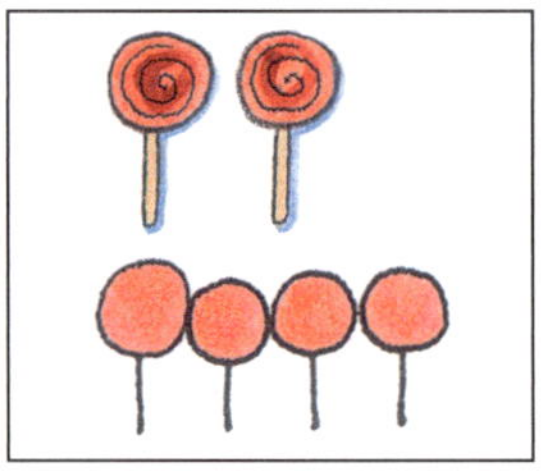
2 + 4 = ___

3 + 2 = ___

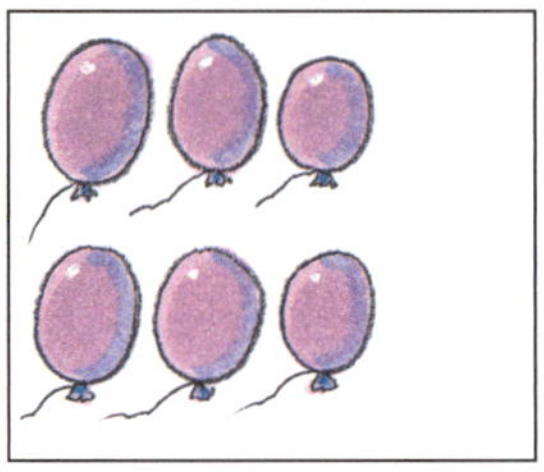
6 + 3 = ___

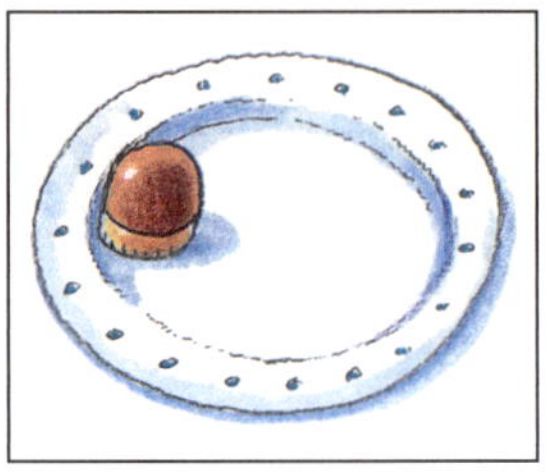
1 + 4 = ___

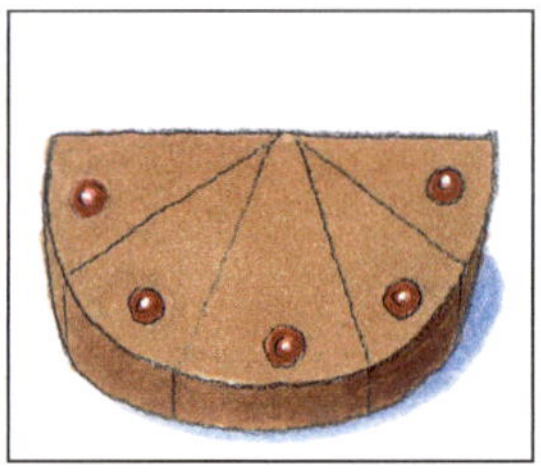
5 + 0 = ___

8 + 2 = ___

3 + 5 = ___

4 + 3 = ___

❸ Male und rechne.

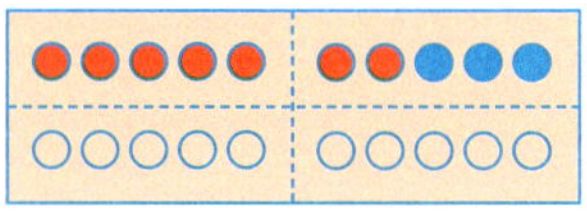
7 + 3 = ___

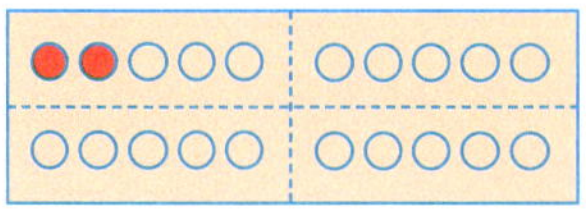
2 + 6 = ___

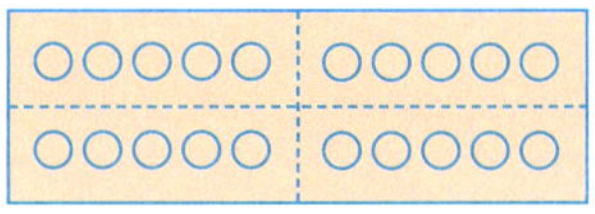
10 + 9 = ___

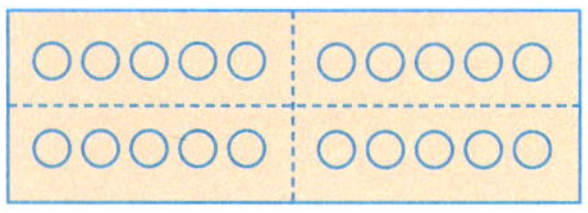
1 + 5 = ___

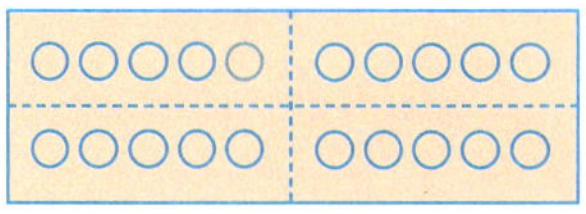
4 + 4 = ___

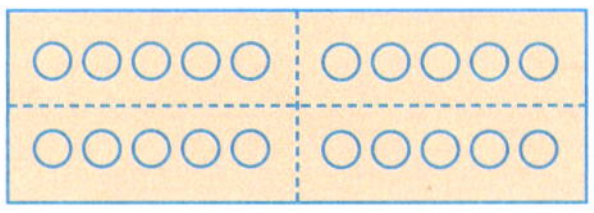
12 + 7 = ___

❹ 4 + 1 = ___

3 + 2 = ___

2 + 3 = ___

5 + 1 = ___

6 + 2 = ___

7 + 3 = ___

11 + 1 = ___

12 + 2 = ___

13 + 3 = ___

① Verbinde.

5 | 7 | 2 | 3 | 4 | 9 | 8 | 6 | 11 | 10

② Löse die Aufgaben.
Verbinde Aufgaben mit gleichem Ergebnis.

6 + 2 = ___ •	• 5 + 1 = ___
9 + 1 = ___ •	• 2 + 8 = ___
7 + 2 = ___ •	• 4 + 4 = ___
1 + 5 = ___ •	• 3 + 6 = ___
4 + 0 = ___ •	• 2 + 3 = ___
0 + 5 = ___ •	• 1 + 3 = ___

6 + 3 = ___ •	• 4 + 2 = ___
2 + 4 = ___ •	• 4 + 5 = ___
1 + 7 = ___ •	• 2 + 5 = ___
4 + 3 = ___ •	• 4 + 6 = ___
7 + 3 = ___ •	• 4 + 1 = ___
1 + 4 = ___ •	• 3 + 5 = ___

③ Rechne. Finde jeweils eine weitere Aufgabe.

3 + 3 = ___	1 + 2 = ___	5 + 5 = ___	3 + 0 = ___
4 + 3 = ___	1 + 4 = ___	4 + 6 = ___	4 + 1 = ___
5 + 3 = ___	1 + 6 = ___	3 + 7 = ___	5 + 2 = ___
6 + 3 = ___	1 + 8 = ___	2 + 8 = ___	6 + 3 = ___
_ + _ = ___	_ + ___ = ___	_ + _ = ___	_ + _ = ___

Würfeln

❶

3 + 4 = __ __ + __ = __ __ + __ = __ __ + __ = __

__ + __ = __ __ + __ = __ __ + __ = __ __ + __ = __

__ + __ = __ __ + __ = ___ __ + __ = ___ __ + __ = ___

❷ Immer 2 Aufgaben.

1 + 3 = __
3 + __ = __

4 + __ = __
5 + __ = __

6 + 1 = __
1 + __ = __

__ + __ = __
__ + __ = __

__ + __ = __
__ + __ = __

__ + __ = ___
__ + __ = ___

❸

3 + 2 + __ = ___ __ + __ + __ = ___

__ + __ + __ = ___ __ + __ + __ = ___

?

4 + 1 + __ = 8

?

__ + __ + __ = 12

❶ Male die fehlenden Bilder. Rechne.

8   – 3   = ___

7   – 4   = ___

❷

5 – 2 = ___

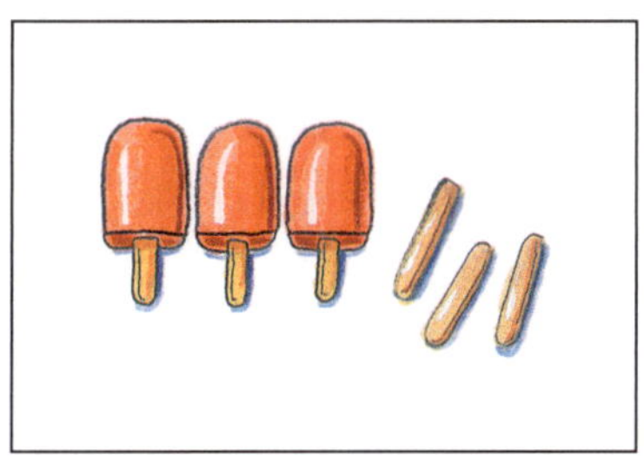

6 – ___ = ___

6 – ___ = ___

7 – ___ = ___

10 – ___ = ___

10 – ___ = ___

___ – ___ = ___

___ – ___ = ___

___ – ___ = ___

1 Lege. Nimm weg. Schreibe die Rechnung auf.

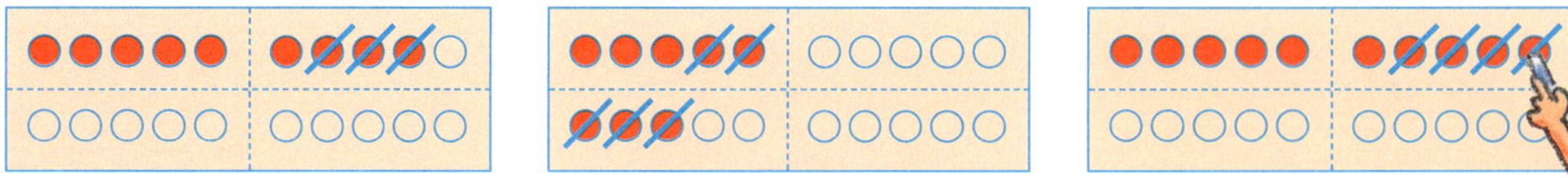

9 – 3 = ___   8 – ___ = ___   10 – ___ = ___

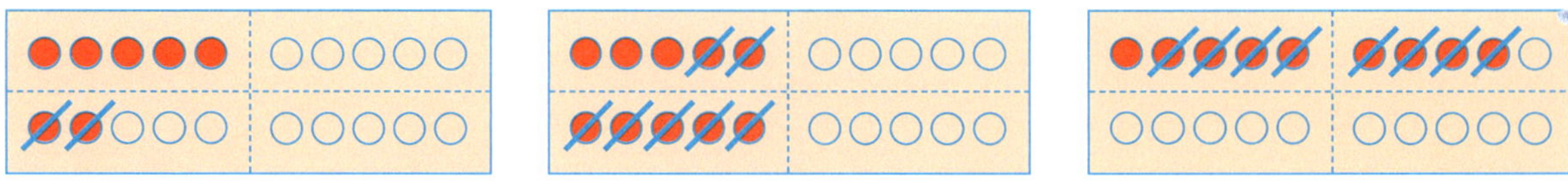

___ – ___ = ___   ___ – ___ = ___   ___ – ___ = ___

2 Streiche weg. Rechne.

7 – 2 = ___   8 – 4 = ___   6 – 5 = ___

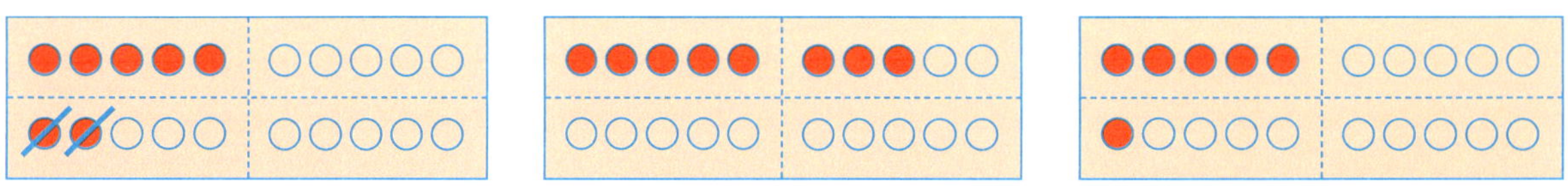

10 – 6 = ___   9 – 7 = ___   11 – 2 = ___

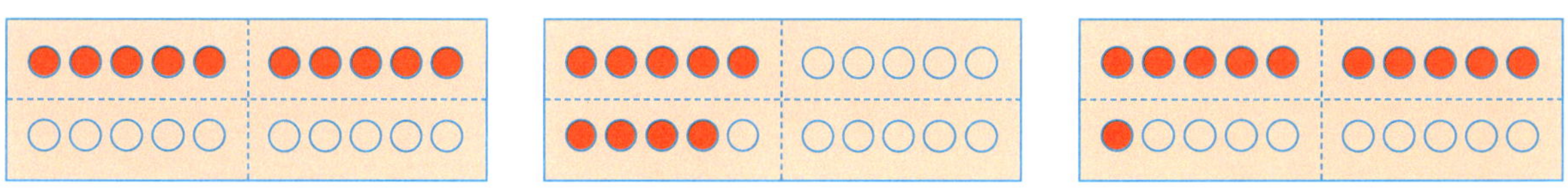

3 Male an, streiche weg und rechne.

8 – 7 = ___   9 – 5 = ___   10 – 10 = ___

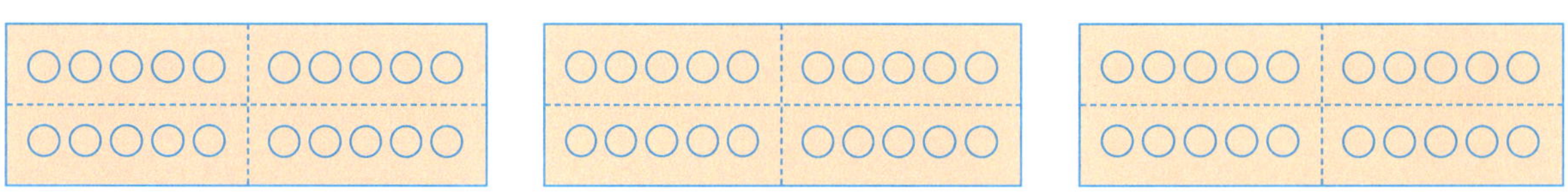

4 Rechne und finde eine weitere Aufgabe.

10 – 2 = ___	9 – 5 = ___	8 – 7 = ___	11 – 2 = ___
10 – 4 = ___	9 – 4 = ___	8 – 6 = ___	11 – 4 = ___
10 – 6 = ___	9 – 3 = ___	8 – 5 = ___	11 – 6 = ___
10 – 8 = ___	9 – 2 = ___	8 – 4 = ___	11 – 8 = ___
___ – ___ = ___	___ – ___ = ___	___ – ___ = ___	___ – ___ = ___

❶ Streiche durch und rechne.

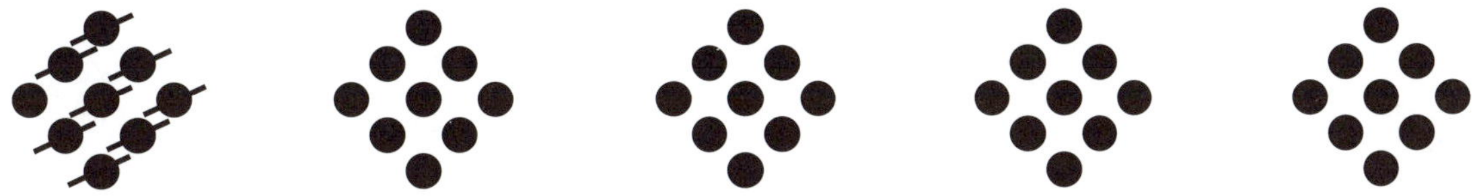

9 − 8 = _ 9 − 4 = _ 9 − 9 = _ 9 − 0 = _ 9 − 7 = _

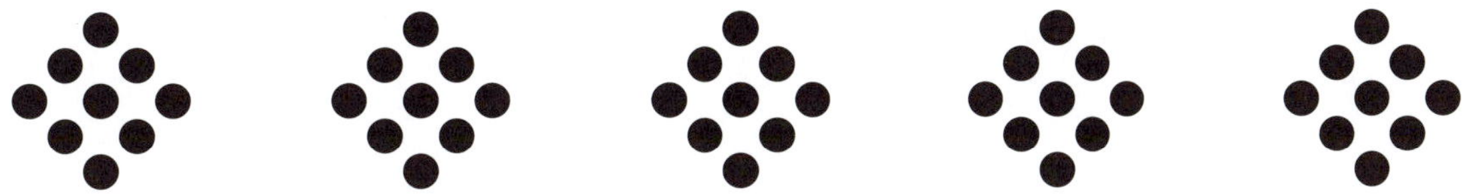

9 − 5 = _ 9 − 3 = _ 9 − 1 = _ 9 − 6 = _ 9 − 2 = _

❷ Kegeln: Immer auf die vollen 9.

		Rechnung
9	1	9 − 1 = _
9	9	_ − _ = _
9	3	_ − _ = _
9	6	_ − _ = _
9	7	_ − _ = _

		Rechnung
9	0	9 − 0 = _
9	2	_ − _ = _
9	5	_ − _ = _
9	4	_ − _ = _
9	8	_ − _ = _

❸ Abräumen: Male und rechne.

a)

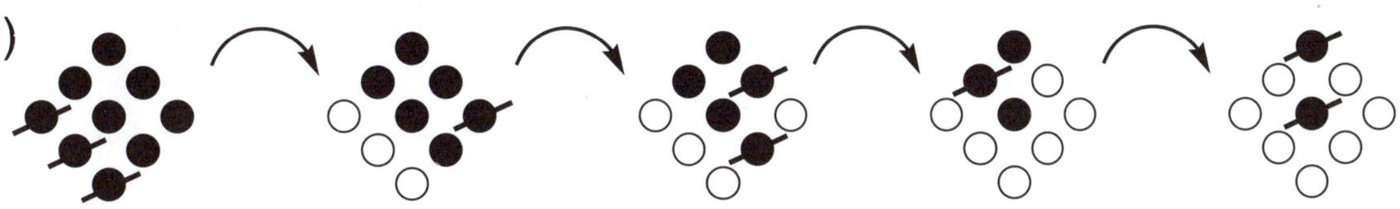

9 − 3 = _ 6 − 1 = _ 5 − 2 = _ 3 − 1 = _ _ − _ = _

b)

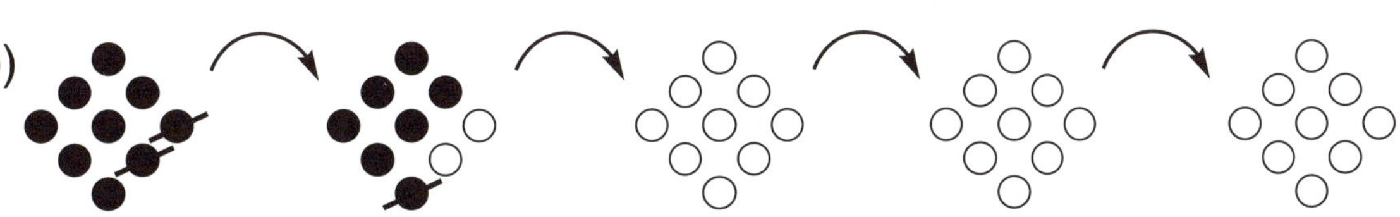

9 − 2 = _ 7 − 1 = _ 6 − 2 = _ _ − 3 = _ _ − _ = 0

c)

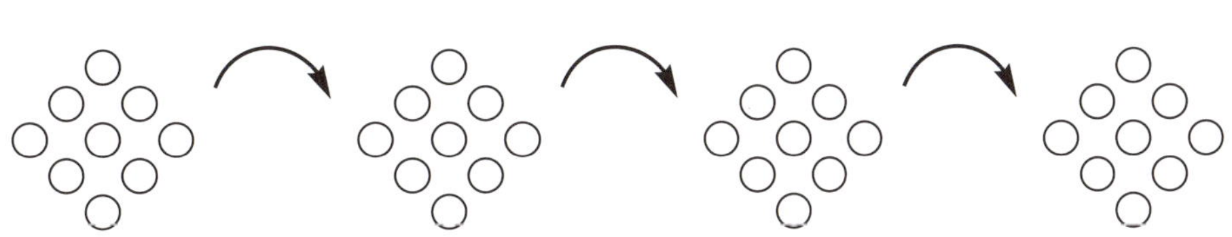

9 − 4 = _ _ − 3 = _ _ − 1 = _ _ − _ = _

❶ Wer ist der 1. 2. 3. 4. ?

❷ Trage ein.

1. Amo
2.
3.
4.
5.
6.

1. Lana
2. Lola
3. Lina
4. Ola
5. Tina
6. Ole

❸ Welcher Elefant trägt welche Decke?

❹ Wer ist als 1. 2. 3. 4. fertig?

❶ Rechne und male.

Buch S. 28/29/32/33, Arbeitsheft S. 20/21/23/24

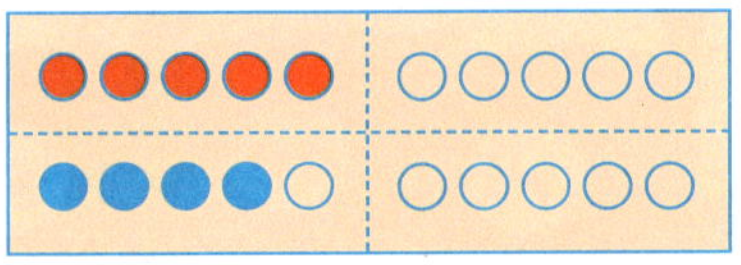

5 + 4 = _

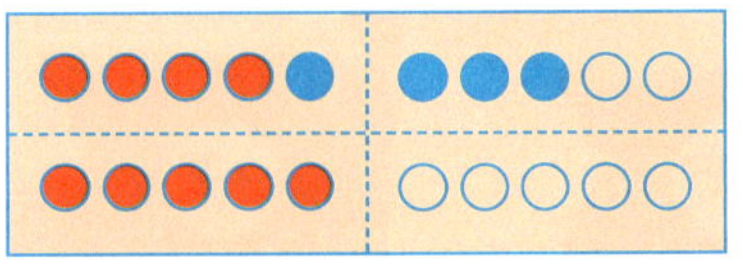

_ ◯ _ = _

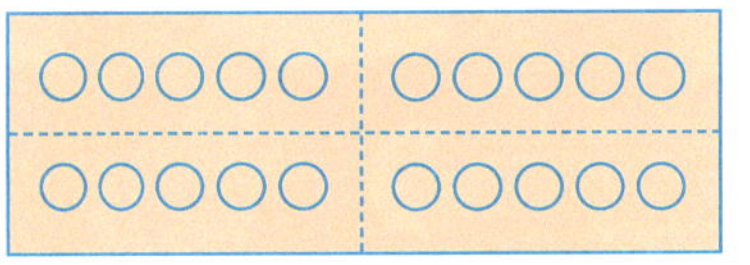

7 + 2 = _

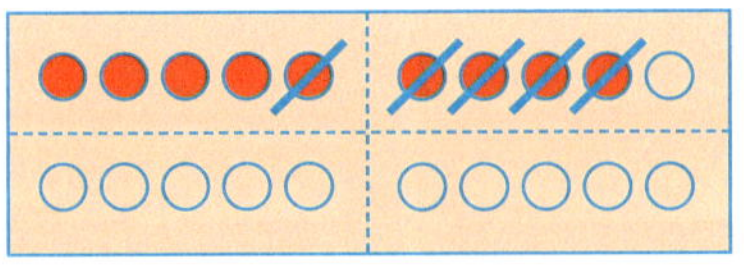

_ ◯ _ = _

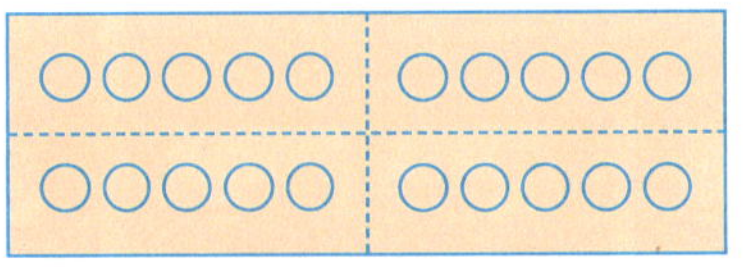

8 − 5 = _

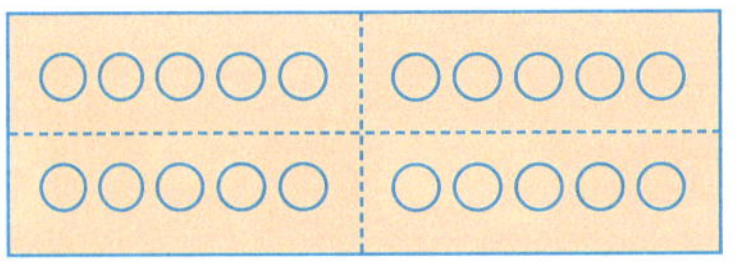

7 − 3 = _

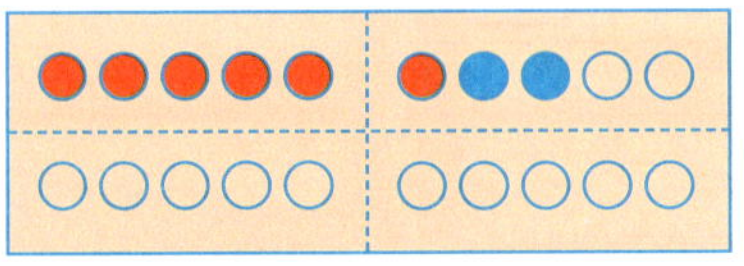

_ ◯ _ = _

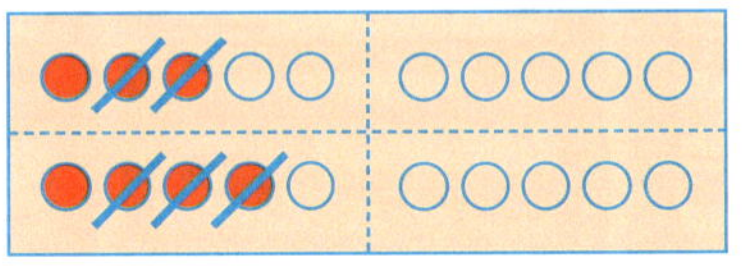

_ ◯ _ = _

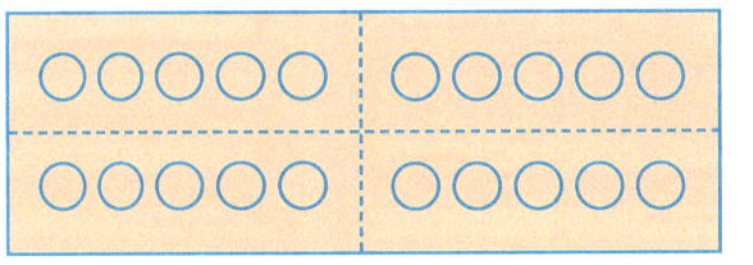

6 − 4 = _

❷ Finde noch eine weitere Aufgabe.

Buch S. 29/31/33/35, Arbeitsheft S. 20 – 25

4 + 4 = _
5 + 3 = _
6 + 2 = _
_ + _ = _

1 + 2 = _
2 + 3 = _
3 + 4 = _
_ + _ = _

10 − 2 = _
10 − 4 = _
10 − 6 = _
_ − _ = _

❸ Immer ein Fehler.
Rechne nach und berichtige.

Buch S. 31/35, Arbeitsheft S. 22 – 25

3 + 5 = 8 ☑
2 + 6 = 8 ☑
1 + 8 = ~~8~~ 9

7 + 3 = 10 ☐
5 + 5 = 10 ☐
5 + 7 = 10 ☐

10 − 6 = 4 ☐
9 − 4 = 4 ☐
8 − 4 = 4 ☐

❹ ⊕ oder ⊖?

Buch S. 29 – 35, Arbeitsheft S. 21/24

5 ⊕ 3 = 8
5 ◯ 3 = 2
5 ◯ 5 = 10
3 ◯ 0 = 3

4 ◯ 4 = 8
4 ◯ 4 = 0
4 ◯ 5 = 9
5 ◯ 4 = 1

5 ◯ 2 ◯ 3 = 10
5 ◯ 2 ◯ 3 = 0
5 ◯ 2 ◯ 3 = 4
5 ◯ 2 ◯ 3 = 6

Rechentürme bis 10

❶ Rechne.

Buch S. 20 – 35, Arbeitsheft S. 20 – 25

5 + 5	5 + __	__ – 4	3 – __
1 + __	2 + __	__ – 3	4 – __
8 + __	3 + __	8 – __	__ – 7
10	7	3	2

❷ Aufgabe und Tauschaufgabe

Buch S. 30 – 31, Arbeitsheft S. 22

7 + 2 = __	6 + 3 = __	5 + 4 = __	6 + 2 = __	3 + 2 = __
2 + __ = __	__ + __ = __	__ + __ = __	__ + __ = __	__ + __ = __

❸ Eine Aufgabe – 4 Nachbarn:

Buch S. 40 – 43, Arbeitsheft S. 28/29

	3 + 4 = __			7 – 3 = __	
4 + 3 = __	4 + 4 = __	4 + 5 = __	8 – 2 = __	8 – 3 = __	8 – 4 = __
	5 + 4 = __			9 – 3 = __	

	+ = __			– = __	
+ = __	4 + 5 = __	+ = __	– = __	7 – 5 = __	– = __
	+ = __			– = __	

❹ Male aus:
7 grün, 10 blau, 5 gelb, 6 grau, 11 rot, 12 braun.

Buch S. 28 – 35, Arbeitsheft S. 20 – 25

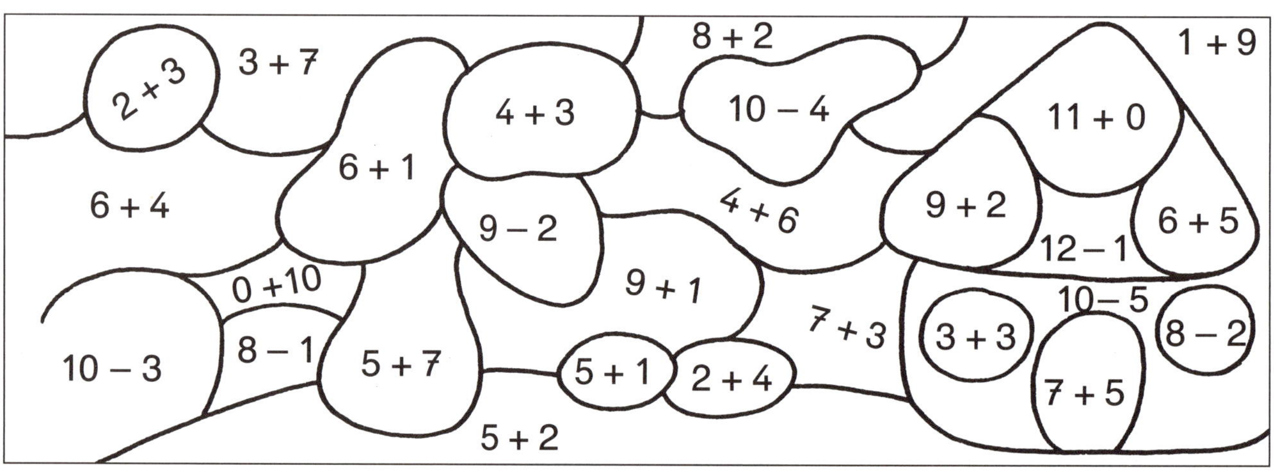

Dominosteine und Rechenkarten vergleichen

❶ Vergleiche mit <, =, >.

❷ Verbinde.

❸ Vergleiche mit <, =, >.

8 – 2	<	9 – 2	10 – 3	◯	9 – 2	4 – 1	◯	6 – 2
7 – 3	◯	7 – 2	10 – 5	◯	9 – 4	9 – 2	◯	8 – 5
6 – 5	◯	7 – 2	6 – 3	◯	5 – 2	6 – 5	◯	9 – 2
3 – 3	◯	4 – 2	6 – 5	◯	4 – 4	10 – 8	◯	8 – 6

❹ Rechne aus. Welcher Ball gehört in welchen Korb? Verbinde.

Eckig oder rund

❶ Zeichne nach. 

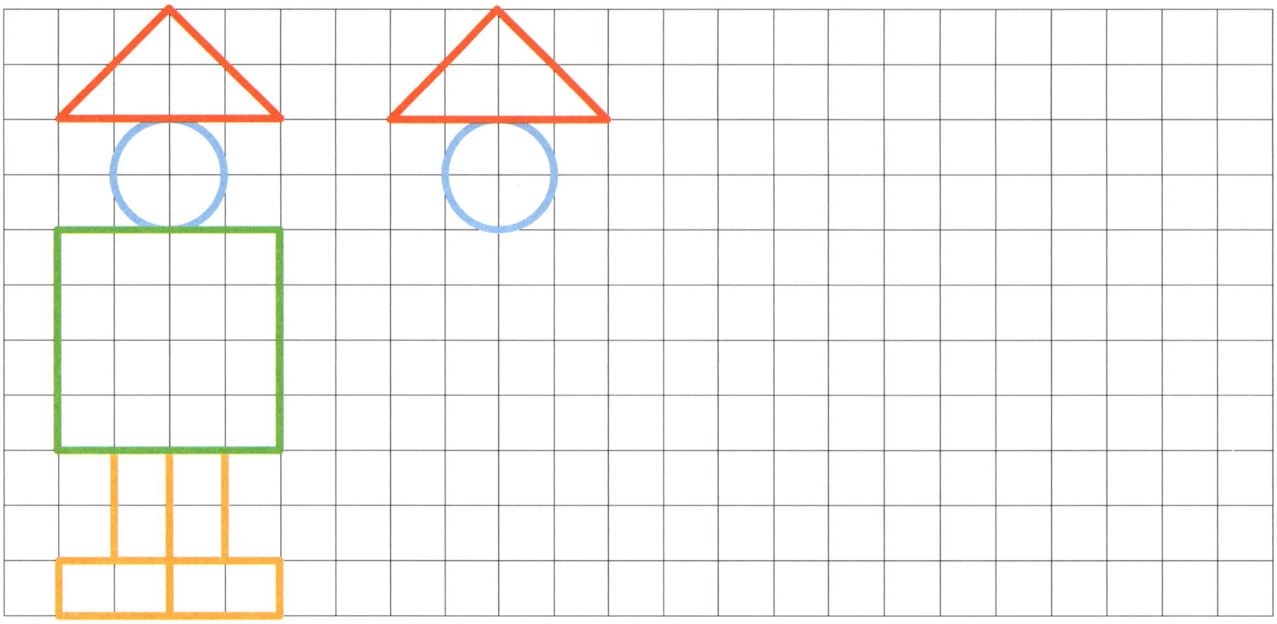

❷ Male ein Bild mit  .

❸ Schöne Muster: Zeichne weiter.

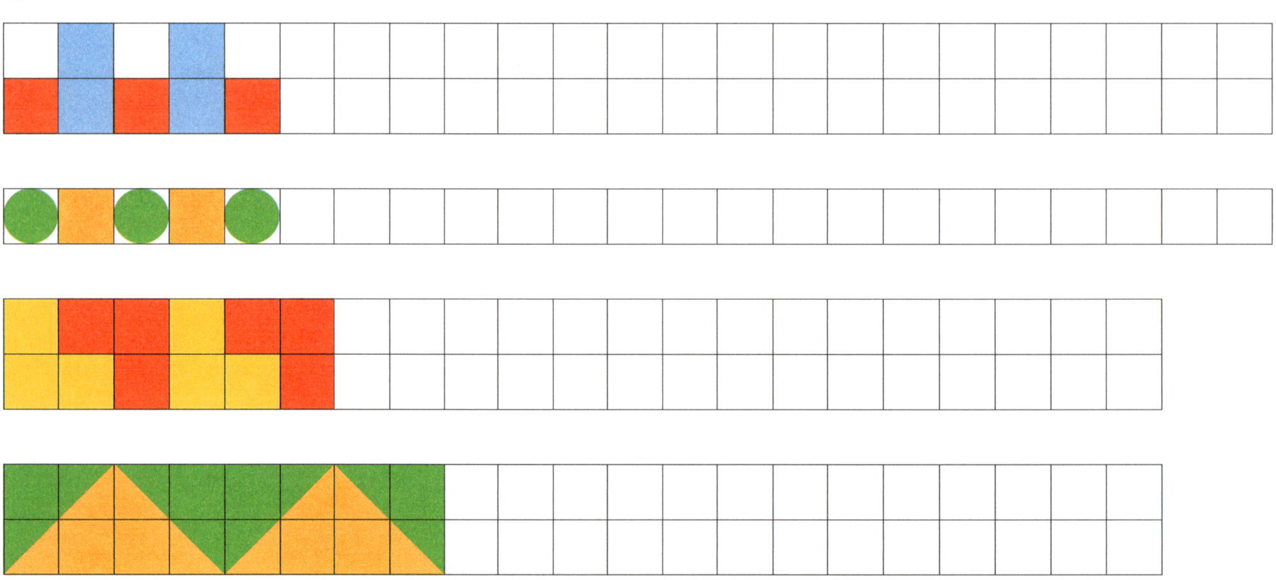

❶ Wie heißt die Zielzahl?
Zeichne und rechne.

4 (+3) = ___ (+3) 0 1 2 3 4 5 6 7 8 9 10 11 12 13

2 (+4) = ___ 0 1 2 3 4 5 6 7 8 9 10 11 12 13

5 (+2) = ___ 0 1 2 3 4 5 6 7 8 9 10 11 12 13

❷ Rechne.

2 (+3) = ___	4 (+4) = ___	6 (+5) = ___
6 (+3) = ___	2 (+7) = ___	7 (+4) = ___
5 (+5) = ___	8 (+1) = ___	8 (+3) = ___
3 (+6) = ___	2 (+6) = ___	9 (+2) = ___

❸ Wie heißt die Zielzahl? Zeichne und rechne.

5 (−2) = ___ (−2) 0 1 2 3 4 5 6 7 8 9 10 11 12 13

10 (−5) = ___ 0 1 2 3 4 5 6 7 8 9 10 11 12 13

8 (−4) = ___ 0 1 2 3 4 5 6 7 8 9 10 11 12 13

❹ Rechne.

7 (−4) = ___	8 (−3) = ___	10 (−3) = ___
6 (−3) = ___	6 (−4) = ___	11 (−4) = ___
5 (−4) = ___	7 (−0) = ___	12 (−5) = ___
10 (−6) = ___	5 (−3) = ___	13 (−6) = ___

Hüpfen und rechnen (2)

❶ Wie heißt die Startzahl?

_ (+3) = 8

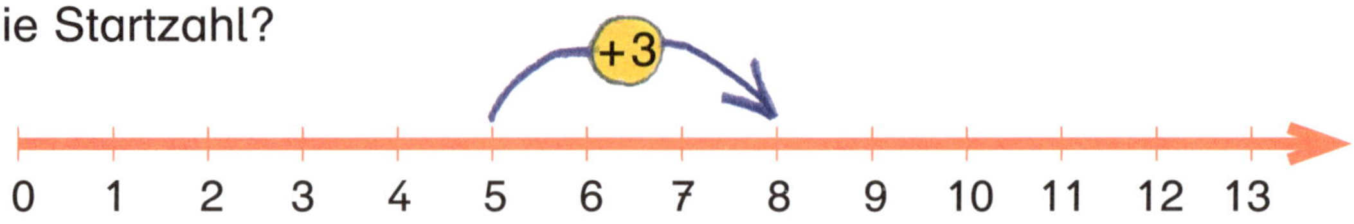

4 (+3) = 7	_ (+6) = 8	_ (−4) = 5
_ (+4) = 9	_ (+3) = 7	_ (−2) = 6
_ (+2) = 6	_ (+4) = 9	_ (−6) = 1
_ (+5) = 10	_ (+8) = 10	_ (−3) = 4

❷ Wie wurde gehüpft?

1 ( ) = 5

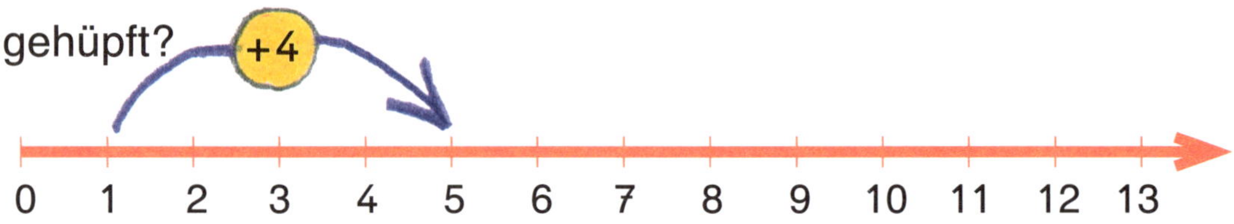

4 ( ) = 6	1 ( ) = 4	3 ( ) = 1
3 ( ) = 7	4 ( ) = 8	4 ( ) = 3
5 ( ) = 9	2 ( ) = 5	6 ( ) = 0
6 ( ) = 8	7 ( ) = 10	10 ( ) = 7

❸ Hüpfe vor und wieder zurück. Zeichne und rechne.

3 (+4) = _
_ (−4) = _

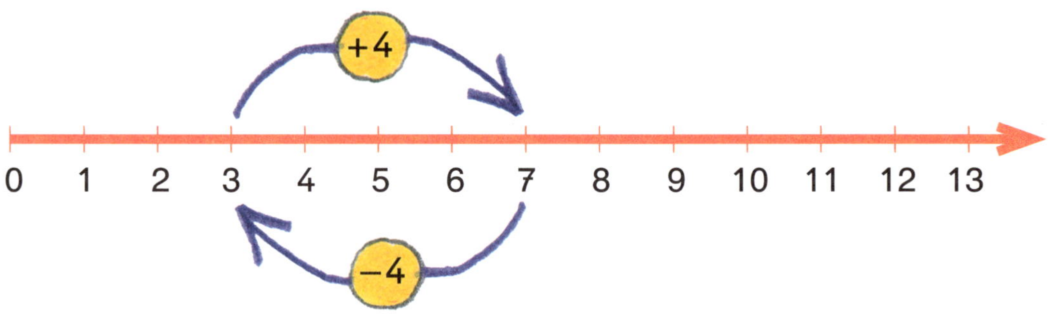

4 (+5) = _
_ (−5) = _

6 (+3) = _
_ ( ) = _

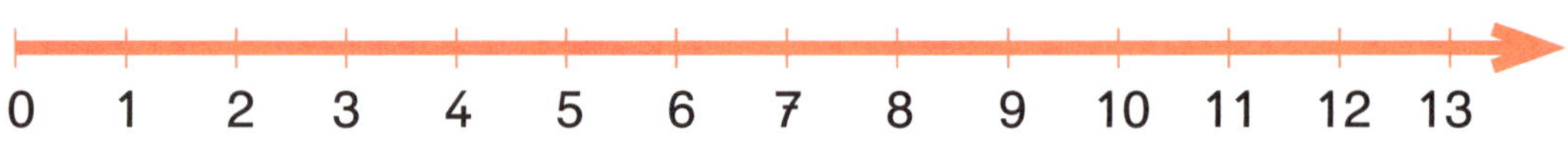

❶ Bilde die Umkehraufgabe und rechne.

6 (+ 1) = 7 | 5 (+ 3) = ___ | 8 (+ 2) = ___
7 (− 1) = ___ | ___ (− 3) = ___ | ___ (− 2) = ___

4 (+ 5) = ___ | 2 (+ 5) = ___ | ___ (+ 3) = ___
___ ( ) = ___ | ___ ( ) = ___ | ___ ( ) = ___

❷ Löse mithilfe der Umkehraufgabe.

___ (+ 4) = 10 | ___ (− 3) = 2 | ___ (+ 5) = 6
10 (− 4) = ___ | 2 (+ 3) = ___ | ___ (− 5) = ___

___ (+ 4) = 7 | ___ (− 5) = 3 | ___ (− 3) = 4
___ (− 4) = ___ | ___ (+ 5) = ___ | ___ ( ) = ___

___ + 5 = 10 | ___ − 4 = 6 | ___ + 2 = 9
___ ( ) = ___ | ___ ( ) = ___ | ___ ( ) = ___

___ + 6 = 12 | ___ − 6 = 5 | ___ − 5 = 9
___ ( ) = ___ | ___ ( ) = ___ | ___ ( ) = ___

❸ Verbinde Aufgabe und Umkehraufgabe.

5 + 3 = 8	10 − 4 = 6	8 − 6 = ___	2 + 6 = ___
6 + 4 = ___	8 − 3 = ___	9 − 4 = ___	4 + 3 = ___
0 + 6 = ___	8 − 1 = ___	9 − 8 = ___	5 + 4 = ___
7 + 1 = ___	6 − 6 = ___	7 − 3 = ___	1 + 8 = ___

Zaubermaschinen

❶ Wie viele sind es nachher?

−2	
3	1
6	
9	
7	

−7	
10	
7	
9	
8	

+3	
8	
6	
4	
2	

+6	
3	
4	
5	
6	

❷ Wie viele waren es vorher?

+5	
	10
	9
	8
	7

+3	
	6
	8
	5
	10

−7	
	3
	2
	1
	0

−6	
	4
	5
	6
	7

❸ Nachher? Vorher?

+4	
6	
5	
3	
	8
	4

+5	
2	
4	
	10
	6
3	

−3	
7	
10	
	0
9	
	5

−5	
9	
	5
	6
	7
13	

❹ Was ist passiert?

10	5
7	
8	
5	

3	9
1	
4	
2	

9	9
6	
	3
	0

1	8
3	10
	12
7	

❶ Bilde mit diesen Karten 4 Aufgaben.

Karten: 3 6 9

3 + 6 = 9
6 + 3 = ___
9 − 3 = ___
9 − 6 = ___

Karten: 7 2 9

7 + ___ = ___
2 + ___ = ___
9 − ___ = ___
9 − ___ = ___

Karten: 8 3 5

3 ◯ ___ = ___
___ ◯ ___ = ___
___ ◯ 3 = ___
___ ◯ ___ = ___

❷ Finde alle 4 Aufgaben.

Karten: 5 4 9

5 + 4 = 9
___ + ___ = ___
9 − 4 = ___
___ − ___ = ___

Karten: 2 7 9

2 + ___ = ___
___ + ___ = ___
___ − 2 = ___
___ − ___ = ___

Karten: 2 8 6

6 + ___ = ___
___ + ___ = ___
___ − 6 = ___
___ − ___ = ___

Karten: 7 2 5

___ + 2 = ___
___ + ___ = ___
___ − 5 = ___
___ − ___ = ___

Karten: 1 9 8

___ + 8 = ___
___ + ___ = ___
___ − 1 = ___
___ − ___ = ___

Karten: 3 8 11

___ + 3 = ___
___ + ___ = ___
___ − 8 = ___
___ − ___ = ___

❸ Welche Karte fehlt? Es gibt 2 Möglichkeiten.

Karten: 3 7 ?

3 + ___ = 7
___ + ___ = ___
___ − 3 = ___
___ − ___ = ___

3 + 7 = ___
___ + ___ = ___
___ − 3 = ___
___ − ___ = ___

1 Vergleiche mit (>), (<), (=).

Buch S. 44/45, Arbeitsheft S. 31

6 + 2 (<) 4 + 5	6 − 2 ○ 8 − 6	10 − 7 ○ 9 − 2
7 − 3 ○ 2 + 3	9 − 3 ○ 4 + 4	8 + 2 ○ 9 − 2
9 − 5 ○ 7 − 3	4 + 3 ○ 6 + 0	4 + 2 ○ 9 − 2

2 3 Zahlen – 4 Aufgaben

Buch S. 55, Arbeitsheft S. 37

5 3 8

5 + 3 = 8
___ + ___ = ___
___ − ___ = ___
___ − ___ = ___

2 5 7

___ + ___ = ___
___ + ___ = ___
___ − ___ = ___
___ − ___ = ___

4 6 2

___ + ___ = ___
___ + ___ = ___
___ − ___ = ___
___ − ___ = ___

Buch S. 54 / Arbeitsheft S. 36

3

+4	
4	
2	
6	

+2	
7	
	6
	10

−3	
6	
8	
10	

−5	
	10
10	
	0

Buch S. 54 / Arbeitsheft S. 36

4

+5	
1	
3	
5	

+6	
4	
3	
	8

−4	
	5
10	
4	

−7	
8	
	3
	5

5 4 Fehler haben sich versteckt.
Streiche durch und verbessere.

Buch S. 28 – 35, Arbeitsheft S. 20 – 25

1 + 4 = ~~6~~ 5	4 + 5 = 8 ___	8 − 0 = 8 ___
3 + 4 = 7 ___	3 + 3 = 6 ___	4 − 0 = 0 ___
4 + 4 = 8 ___	5 − 5 = 10 ___	7 − 3 = 5 ___

❶ Wie viel Euro sind es?

___ € ___ € ___ € ___ €

❷ Wie viel Cent sind es?

___ ct ___ ct ___ ct ___ ct

❸ Zeichne die Beträge.

7 € 5 € 8 € 12 €

❹ Zeichne die Beträge.

8 ct 6 ct 9 ct 20 ct

❺ Vergleiche mit (>), (=), (<).

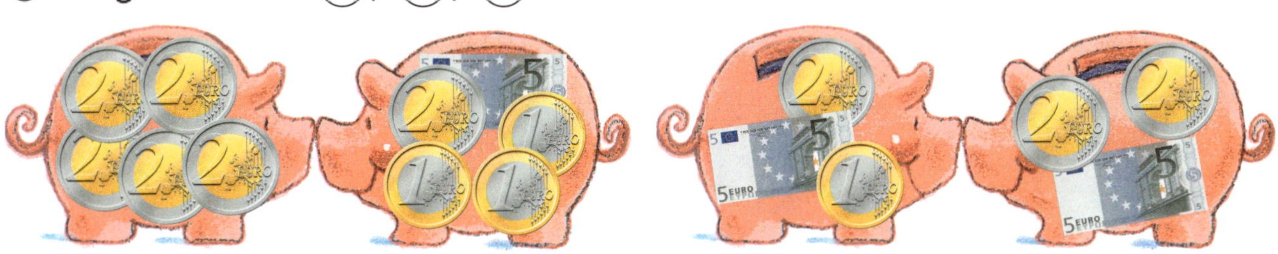

___ € ◯ ___ € ___ € ◯ ___ €

Einkaufen und bezahlen

❶ Wie kannst du bezahlen? Male.

 ___ €		 ___ €	
 ___ €		 ___ €	

❷ Wie viel musst du bezahlen?

6 € + _ € = _ €	______	______

2 € + _ € = _ €	______	______

❸ Wie viel bekommst du zurück?

	Ich gebe: 	Ich bekomme zurück:
_ € + _ € = _ €		10 € – _ € = _ €
	Ich gebe: 	Ich bekomme zurück:
_ € + _ € = _ €		___ € – _ € = _ €
	Ich gebe: 	Ich bekomme zurück:
_ € + _ € = _ €		___ € – _ € = _ €

❶ Zeichne möglichst wenige Münzen und Scheine.

8 Euro	5€ 2€ 1€	8 € = 5 € + 2 € + 1 €
6 Euro		6 € =
9 Euro		
2 Euro		
10 Euro		
12 Euro		

❷ In welche Münzen wurde gewechselt?

5 ct = ◯ ◯ ◯ ◯

5 ct = ◯ ◯ ◯

10 ct = ◯ ◯ ◯ ◯

10 ct = ◯ ◯ ◯ ◯ ◯

20 ct = ◯ ◯

20 ct = ◯ ◯ ◯

20 ct = ◯ ◯ ◯ ◯

❸ Rechne.

4 € + 3 € = ___ €

5 € + 4 € = ___ €

3 € + 6 € = ___ €

7 € + 2 € = ___ €

5 ct + 3 ct = ___ ct

1 ct + 8 ct = ___ ct

10 ct + 0 ct = ___ ct

8 ct + 2 ct = ___ ct

❹ Rechne.

1 ct + 6 ct + 2 ct + 1 ct = ___ ct

1 ct + 4 ct + 2 ct + 3 ct = ___ ct

2 ct + 5 ct + 5 ct + 0 ct = ___ ct

7 ct + 1 ct + 1 ct + 2 ct = ___ ct

❺ Welche beiden Münzen fehlen?
Ergänze auf 1 €.

(20) (20) (10) (10)

(10) ◯ ◯

1 Erzähle zu den Bildern. Welches Bild passt zur Rechnung? Verbinde.

5 + 3 = __

7 – 4 = __

2 Finde die passenden Rechnungen. Rechne.

__ + __ = __

__ – __ = __

__ + __ = __

__ – __ = __

__ + __ = __

__ – __ = __

3 Welche Bilder passen? Male sie aus.

6 – 3 = 3

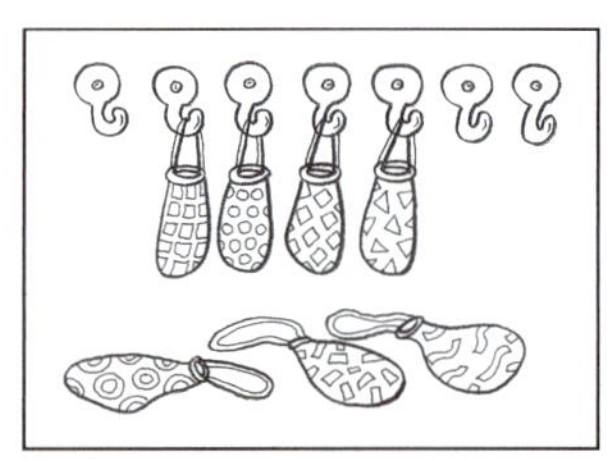

5 + 2 = 7

4 Male.

3 + 1 = 4

4 – 2 = 2

1 Wie viel Geld ist es?

Buch S. 56/57, Arbeitsheft S. 39

___ € ___ € ___ ct ___ ct

Buch S. 56/57, Arbeitsheft S. 39

2 Zeichne die Beträge. Benutze möglichst wenige Münzen und Scheine.

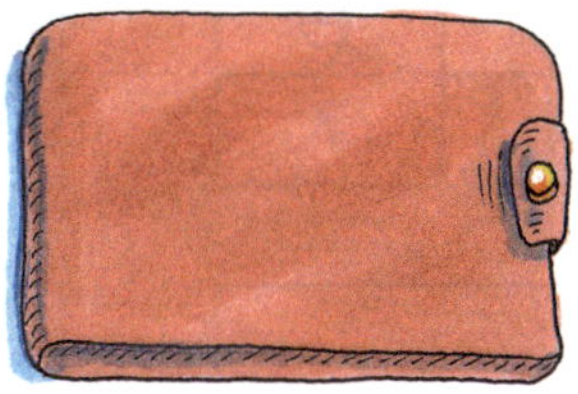

7 € 5 € 9 ct 4 ct

Buch S. 58/59, Arbeitsheft S. 40

3

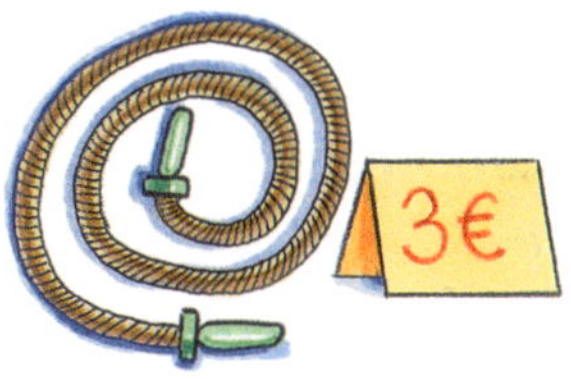

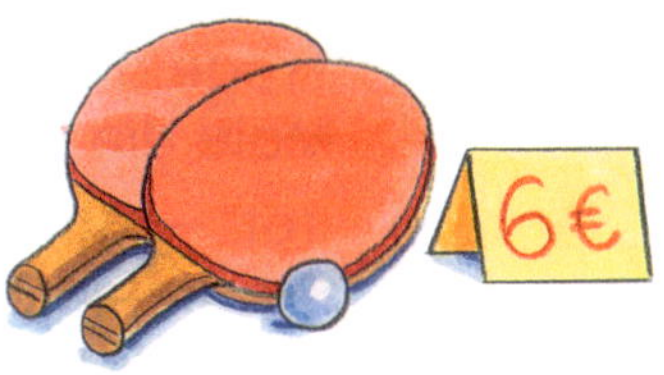

Wie viel musst du bezahlen? Rechne.

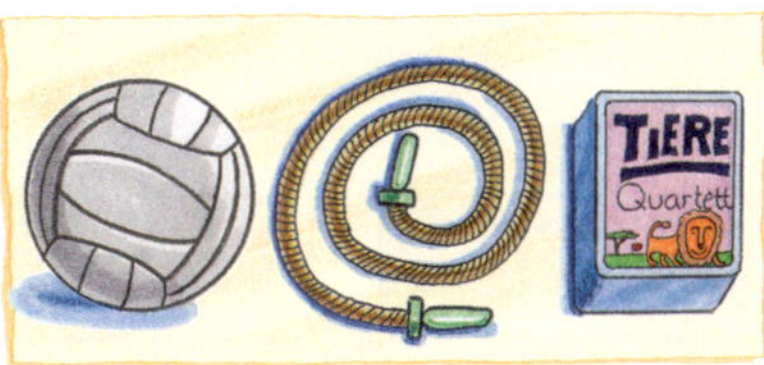

5 € + ___ = ___ ______ ______

4 Welches Bild passt? Verbinde.

Buch S. 68/61, Arbeitsheft S. 42

5 + 2 = ___ 6 – 3 = ___

Bist du fit?
Zahlen bis 20

❶ Schlangen unterwegs. Ergänze.

Buch S. 62/63, Arbeitsheft S. 44

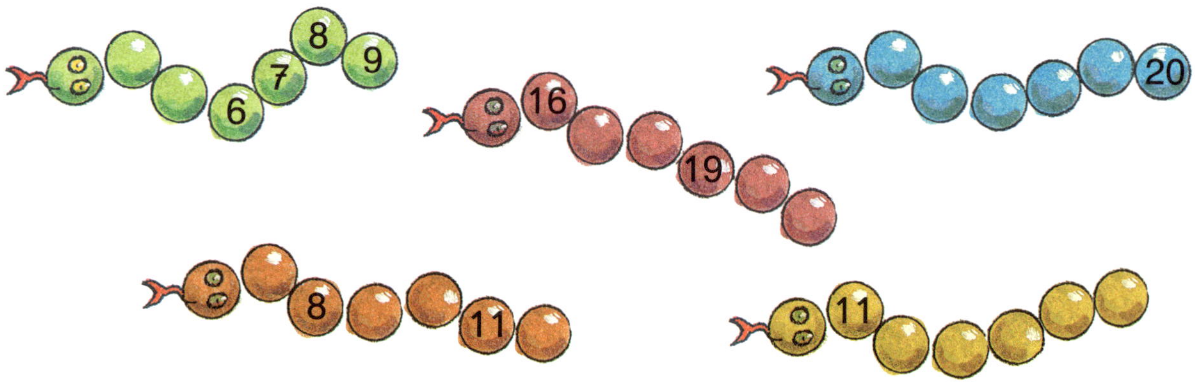

❷ Ordne die Zahlen der Größe nach.
Beginne mit der kleinsten.

Buch S. 62 – 67, Arbeitsheft S. 44/45

___, ___, ___, ___, ___   ___, ___, ___, ___, ___

❸ Zahlen stechen. Setze ein: (>), (<), (=).
Wer gewinnt? Kreise ein.

Buch S. 66/67, Arbeitsheft S. 45

Ayse		Sophie
12	◯	15
19	◯	9
11	◯	10
20	◯	20

Stefan		Jule
13	◯	3
7	◯	10
11	◯	20
17	◯	19

Simsala		Bim
12	◯	9
10	◯	1
16	◯	19
4	◯	14

❹ 4 Karten zu einer Zahl

Buch S. 62/63, Arbeitsheft S. 44

13	16				17
●●●●● ●●●●● ●●●○○ ○○○○○	○○○○○ ○○○○○ ○○○○○ ○○○○○	○○○○○ ○○○○○ ○○○○○ ○○○○○	○○○○○ ○○○○○ ○○○○○ ○○○○○	●●●●● ●●●●● ●●●●● ○○○○○	○○○○○ ○○○○○ ○○○○○ ○○○○○
1 Z 3 E		1 Z 8 E			
10 + 3			10 + 1		

1 Welcher Anhänger gehört zu welchen Transporter?
Verbinde und rechne.

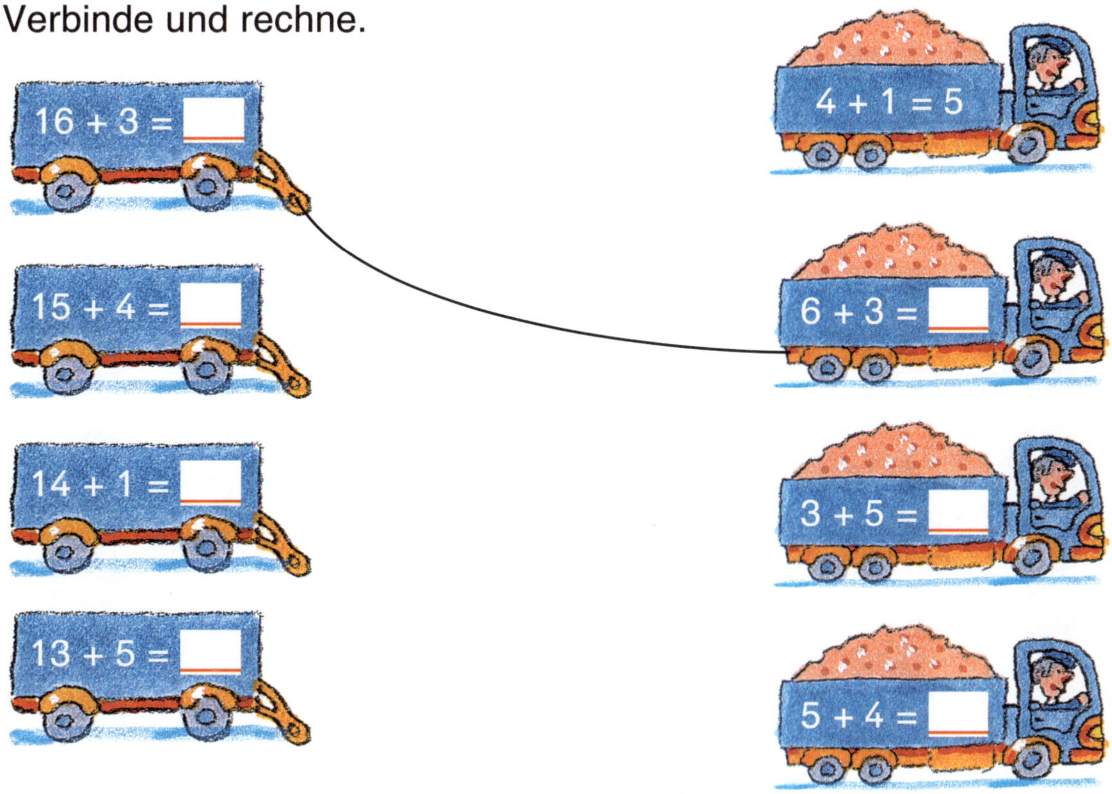

2 Schreibe die kleine Aufgabe dazu. Rechne.

11 + 4 = 15	1 + 4 = 5	17 + 1 = ___	7 + 1 = ___
13 + 6 = ___	3 + __ = ___	14 + 4 = ___	__ + __ = ___
12 + 5 = ___	__ + __ = ___	15 + 3 = ___	__ + __ = ___
17 + 3 = ___	__ + __ = ___	16 + 2 = ___	__ + __ = ___

3 Denke an die kleine Aufgabe. Rechne.

15 + 3 = ___	12 + 7 = ___	15 + 4 = ___	11 + 8 = ___
11 + 7 = ___	14 + 5 = ___	16 + 3 = ___	14 + 3 = ___
12 + 4 = ___	18 + 1 = ___	12 + 6 = ___	16 + 2 = ___
13 + 6 = ___	13 + 4 = ___	14 + 2 = ___	13 + 7 = ___

4 Rechne. Schreibe auch die nächste Aufgabe.

12 + 5 = ___	14 + 3 = ___	13 + 7 = ___	10 + 6 = ___
12 + 6 = ___	14 + 4 = ___	14 + 6 = ___	12 + 4 = ___
12 + 7 = ___	14 + 5 = ___	15 + 5 = ___	14 + 2 = ___
12 + __ = ___	___ + __ = ___	___ + __ = ___	___ + __ = ___

1 Welcher Anhänger gehört zu welchen Transporter?
Verbinde und rechne.

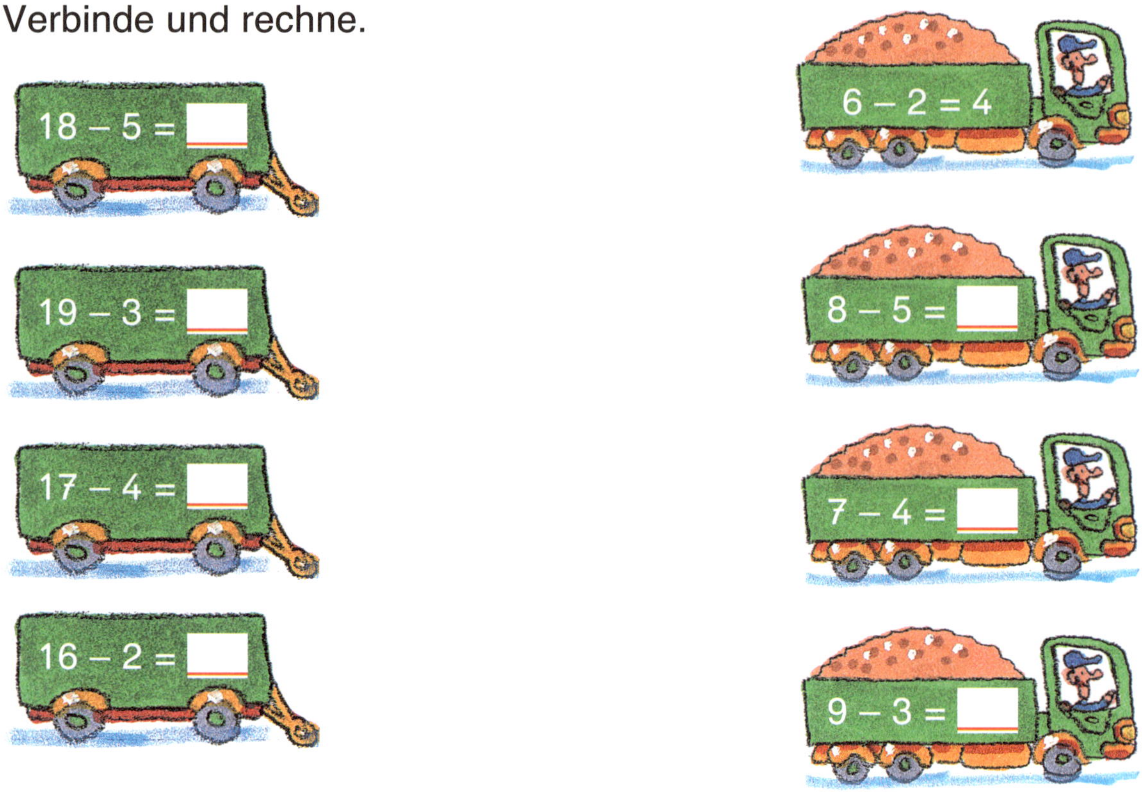

2 Schreibe die kleine Aufgabe dazu. Rechne.

17 – 3 = 14	7 – 3 = 4	13 – 2 = ___	3 – 2 = ___
18 – 4 = ___	___ – ___ = ___	19 – 8 = ___	___ – ___ = ___
14 – 2 = ___	___ – ___ = ___	18 – 6 = ___	___ – ___ = ___
16 – 5 = ___	___ – ___ = ___	15 – 4 = ___	___ – ___ = ___

3 Denke an die kleine Aufgabe. Rechne.

14 – 3 = ___	18 – 5 = ___	16 – 1 = ___	15 – 4 = ___
17 – 5 = ___	19 – 3 = ___	17 – 6 = ___	18 – 3 = ___
16 – 4 = ___	16 – 5 = ___	19 – 4 = ___	19 – 7 = ___
18 – 7 = ___	14 – 3 = ___	13 – 2 = ___	14 – 1 = ___

4 Rechne und finde die nächste Aufgabe.

18 – 2 = ___	20 – 3 = ___	19 – 4 = ___	13 – 1 = ___
18 – 3 = ___	19 – 4 = ___	19 – 3 = ___	14 – 2 = ___
18 – 4 = ___	18 – 5 = ___	19 – 2 = ___	15 – 3 = ___
___ – ___ = ___	___ – ___ = ___	___ – ___ = ___	___ – ___ = ___

❶ Male an: .

❷ Schneide die Formen aus und lege eine Figur.

Lege mit den Formen passend aus und zähle.

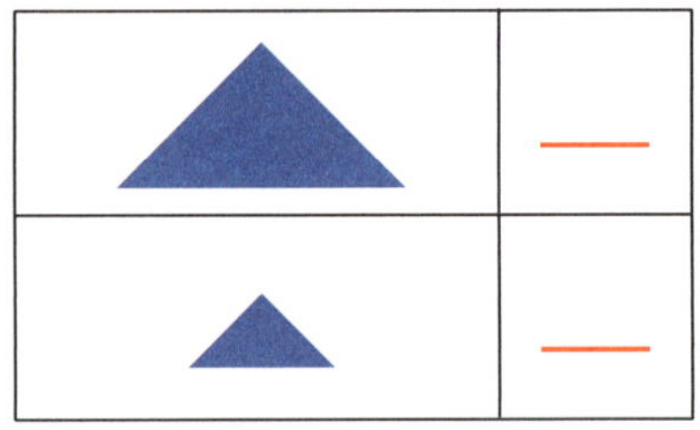

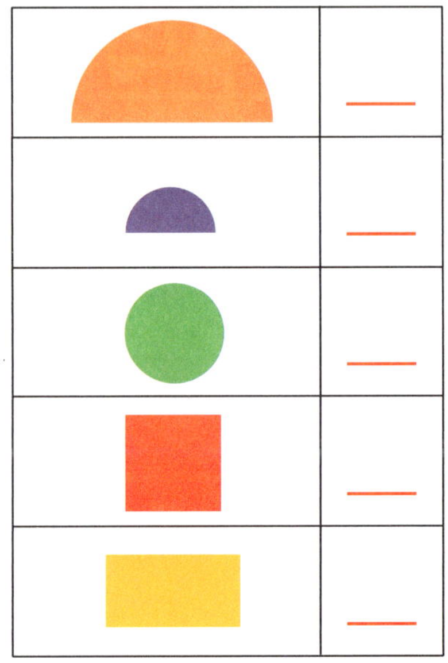

❶ Zeichne die Figuren vollständig. Male beide Hälften gleich aus.

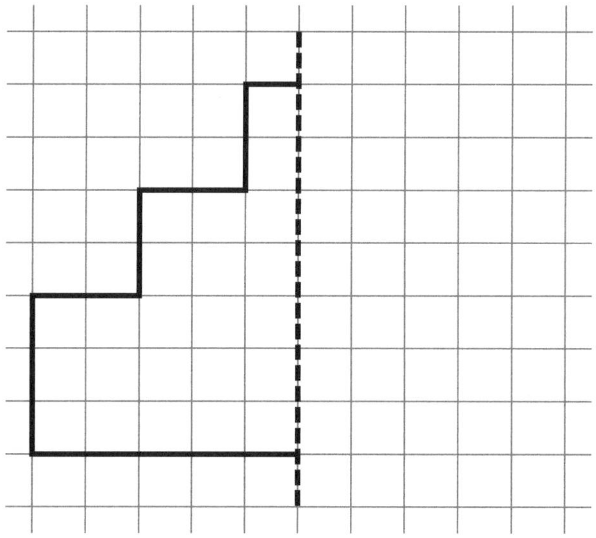
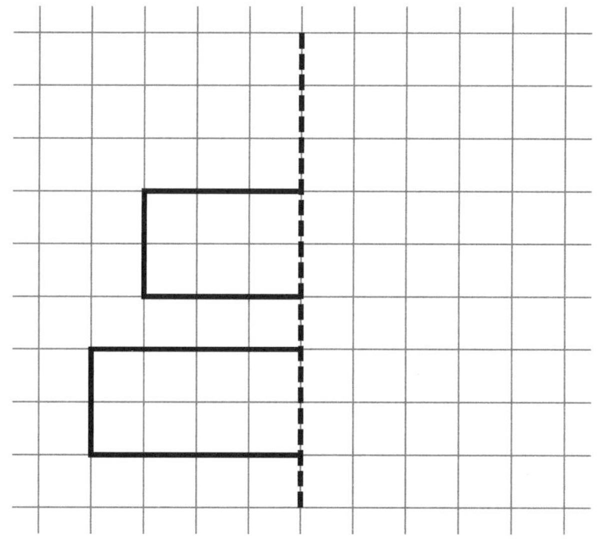
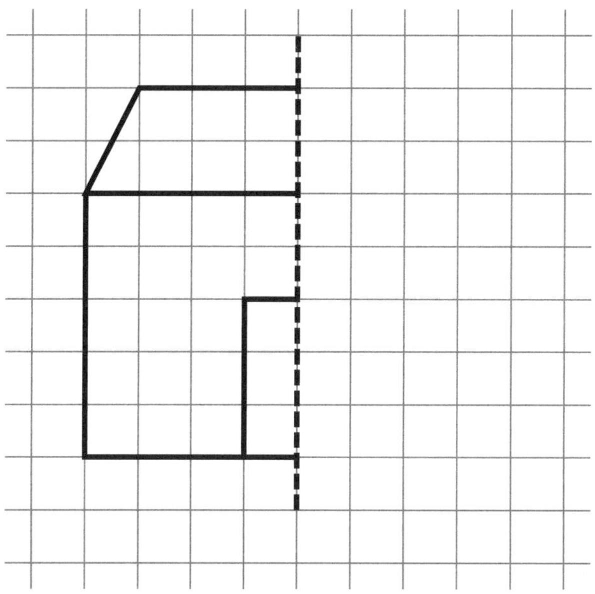
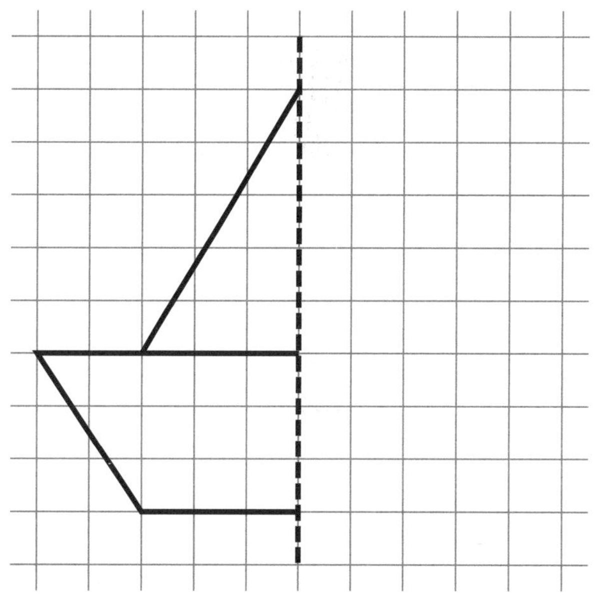

❷ Erfinde selbst eine Figur mit gleichen Hälften. Zeichne.

Verdoppeln

❶ Immer das Doppelte

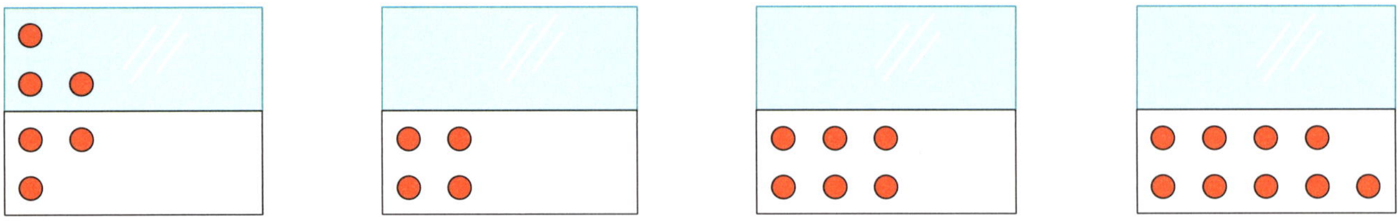

3 + 3 = ___ ___ + ___ = ___ ___ + ___ = ___ ___ + ___ = ___

❷ Immer das Doppelte

3 + 3 = ___ ___ ◯ ___ = ___ ___ ◯ ___ = ___ ___ ◯ ___ = ___

___ + ___ = ___ ___ ◯ ___ = ___ ___ ◯ ___ = ___ ___ ◯ ___ = ___

❸

Zahl	2	4	6	8	10	11	3	5	7	9	0
das Doppelte	4										

Zahl	9										
das Doppelte	18	14	8	4	20	10	16	6	12	2	0

❶ Halbiere.

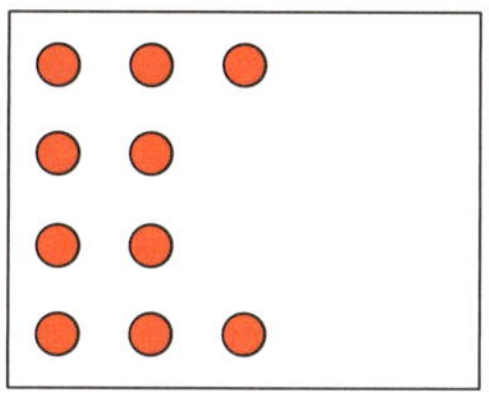

10 = 5 + ___

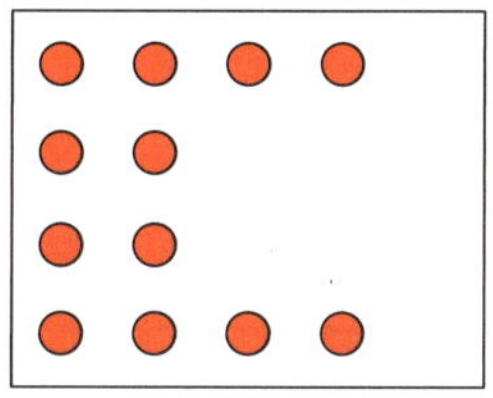

___ = ___ + ___

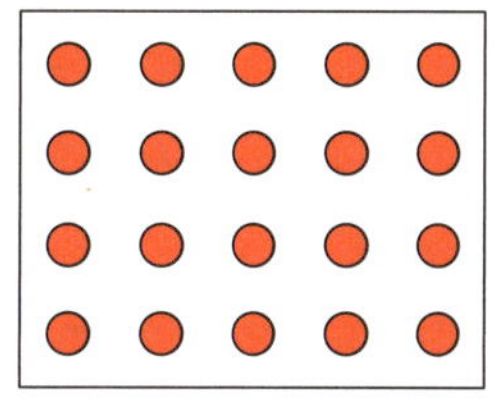

___ = ___ + ___

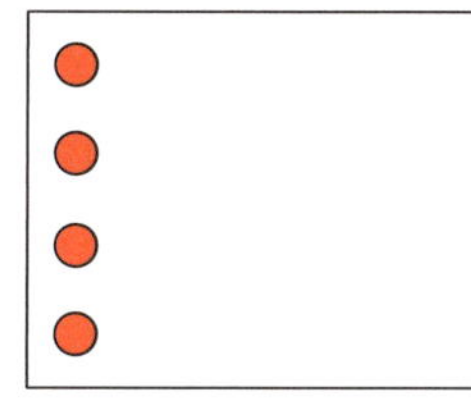

___ = ___ + ___

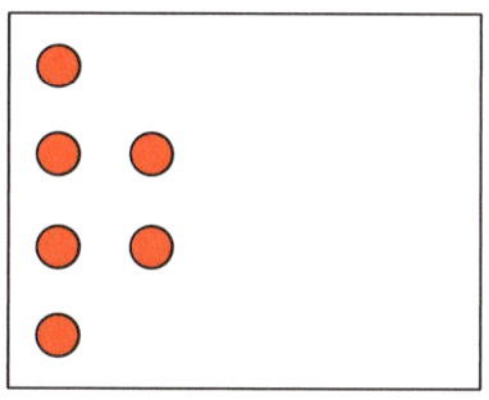

___ = ___ + ___

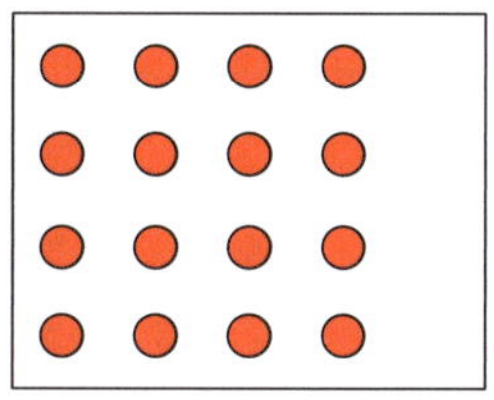

___ = ___ + ___

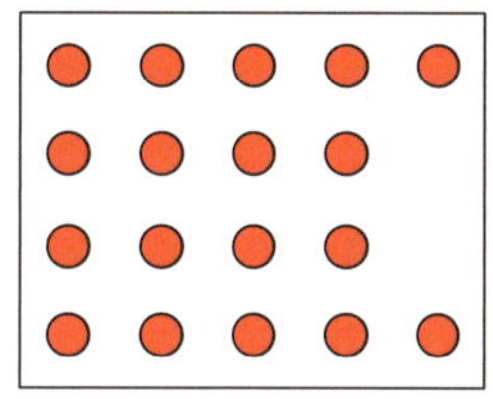

___ = ___ + ___

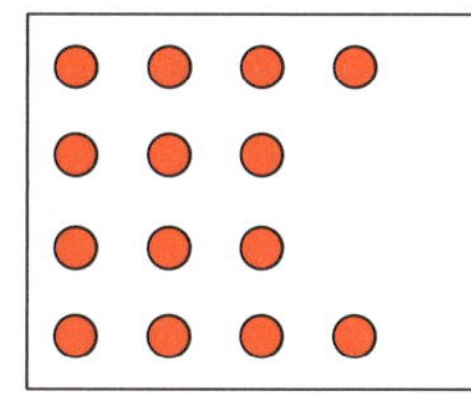

___ = ___ + ___

❷ Simsala und Bim teilen. Halbiere.

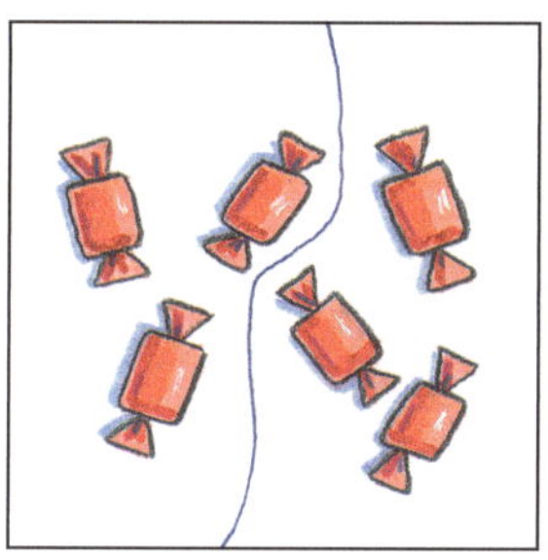

6 = 3 + ___

___ = ___ + ___

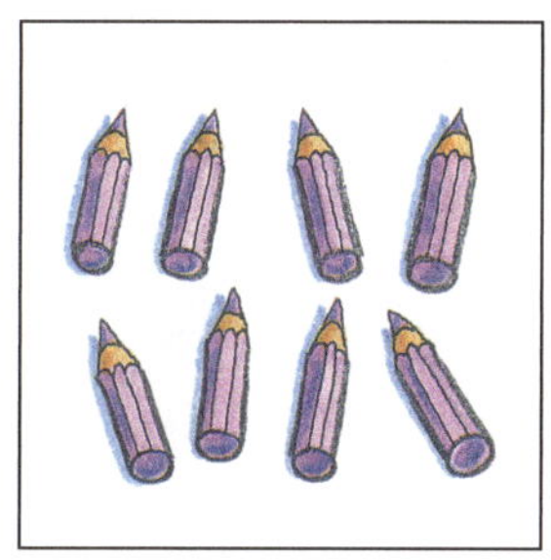

___ = ___ + ___

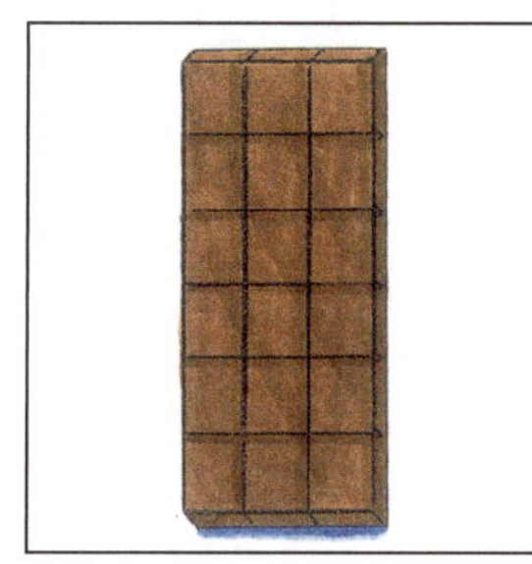

___ = ___ + ___

___ = ___ + ___

___ = ___ + ___

___ = ___ + ___

___ = ___ + ___

❸

Zahl	12	8		6		10		2		20	14		18		4
die Hälfte			7		2		9		8			3		5	

Nachbaraufgaben

❶ Nachbaraufgaben gesucht.

_ + _ = ___
6 + 5 = ___ | 6 + 6 = ___ | _ + _ = ___
_ + _ = ___

_ + _ = ___
_ + _ = ___ | 7 + 7 = ___ | _ + _ = ___
_ + _ = ___

_ + _ = ___
_ + _ = ___ | 8 + 8 = ___ | _ + _ = ___
_ + _ = ___

_ + _ = ___
_ + _ = ___ | 9 + 9 = ___ | _ + _ = ___
_ + _ = ___

❷ Hier helfen Verdoppelungsaufgaben. Verbinde und rechne.

❸ Nachbaraufgaben gesucht.

___ − _ = _
14 − 6 = _ | 14 − 7 = _ | ___ − _ = _
___ − _ = _

___ − _ = _
___ − _ = _ | 16 − 8 = _ | ___ − _ = _
___ − _ = _

___ − _ = _
___ − _ = _ | 18 − 9 = _ | ___ − _ = _
___ − _ = _

❶ Verwandte Aufgaben: Verbinde.

Buch S. 68/69, Arbeitsheft S. 47/48

17 – 4 = ___
13 + 6 = ___
14 + 3 = ___

4 + 3 = _	9 – 5 = _
7 – 4 = _	5 – 4 = _
3 + 6 = _	3 + 3 = _

15 – 4 = ___
19 – 5 = ___
13 + 3 = ___

❷ Für Simsala und Bim alles doppelt! Zeichne und rechne.

Buch S. 74, Arbeitsheft S. 52

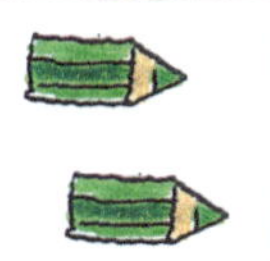	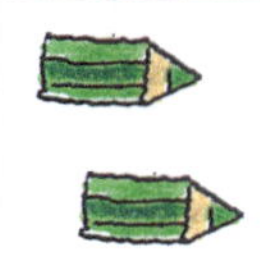	_ + _ = _
		_ + _ = _

		_ + _ = ___
		_ + _ = ___

❸ Halbiere.

Buch S. 75, Arbeitsheft S. 53

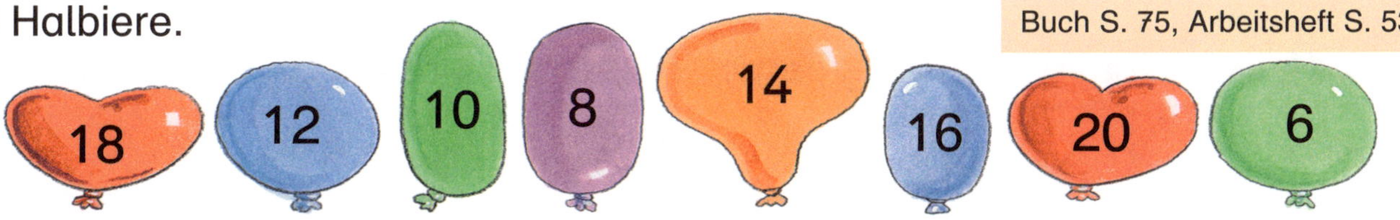

5	9	6	7	4	10	3	8

❹ Zeichne die Figuren vollständig.

Buch S. 72/73, Arbeitsheft S. 50

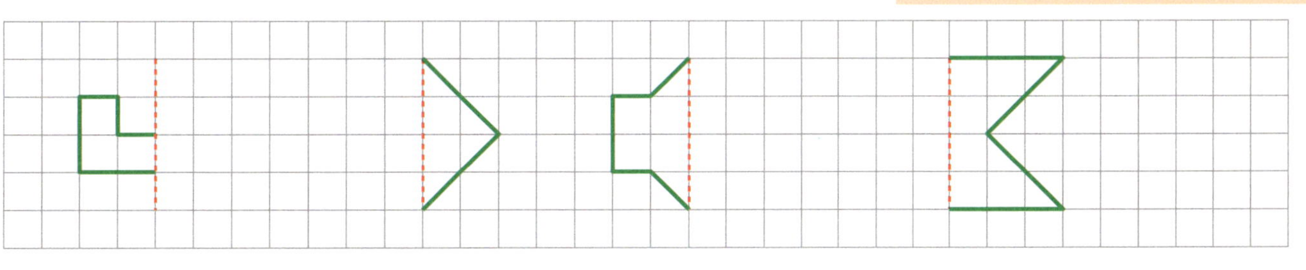

❺ Eine Aufgabe – 4 Nachbarn

Buch S. 76/77, Arbeitsheft S. 54

	_ + _ = ___	
6 + 5 = ___	6 + 6 = ___	_ + _ = ___
	_ + _ = ___	

	_ + _ = ___	
_ + _ = ___	8 + 8 = ___	_ + _ = ___
	_ + _ = ___	

1 Male und schreibe auf.

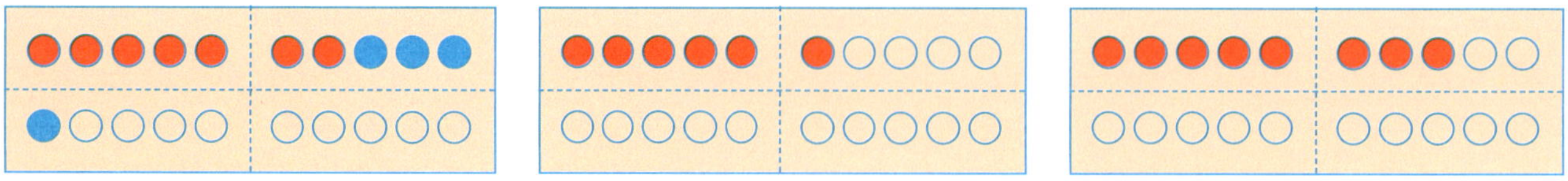

7 + 4 = ___
7 + 3 + 1 = ___

6 + 7 = ___
6 + ___ + ___ = ___

8 + 5 = ___
8 + ___ + ___ = ___

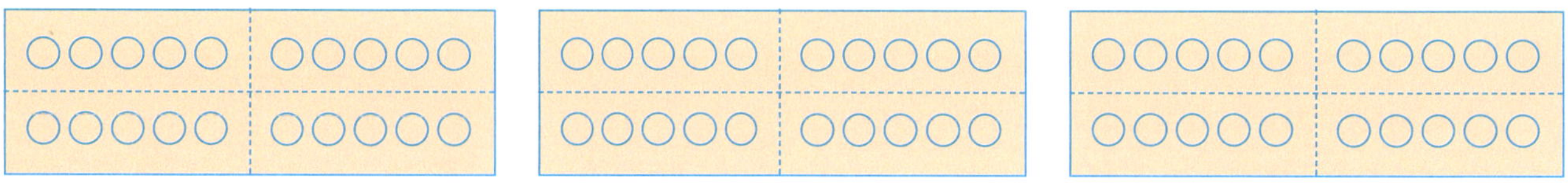

3 + 8 = ___
3 + ___ + ___ = ___

9 + 7 = ___
9 + ___ + ___ = ___

4 + 9 = ___
4 + ___ + ___ = ___

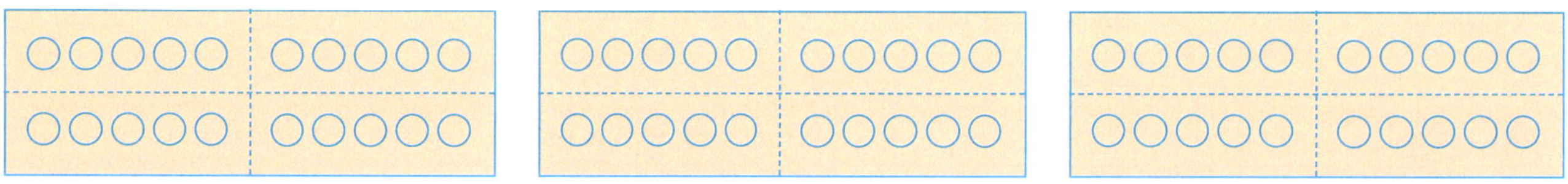

8 + 7 = ___
8 + ___ + ___ = ___

5 + 9 = ___
5 + ___ + ___ = ___

4 + 8 = ___
4 + ___ + ___ = ___

2 Welche Mäuse-Rechnung gehört in welches Mauseloch? Verbinde.

8 + 2 + 4 = ___

8 + 2 + 7 = ___

9 + 1 + 3 = ___

7 + 3 + 5 = ___

7 + 3 + 2 = ___

7 + 3 + 3 = ___

5 + 5 + 3 = ___

9 + 1 + 6 = ___

8 + 2 + 5 = ___

6 + 4 + 3 = ___

1 Male, streiche weg und schreibe auf.

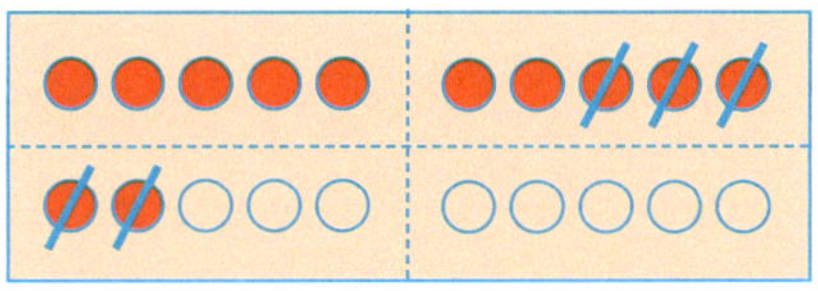

12 – 5 = __

12 – 2 – 3 = __

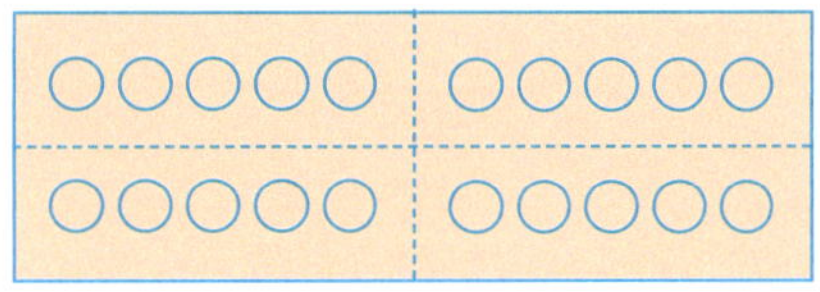

15 – 6 = __

15 – __ – __ = __

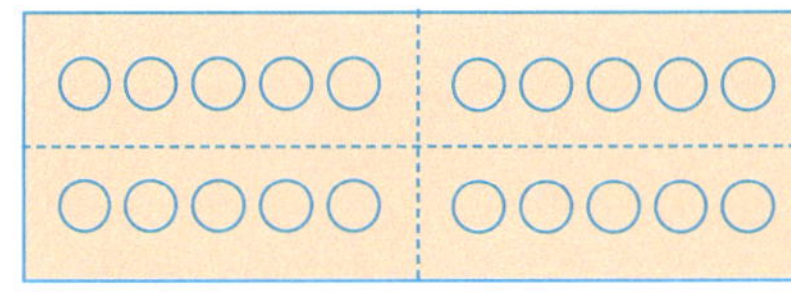

17 – 9 = __

17 – __ – __ = __

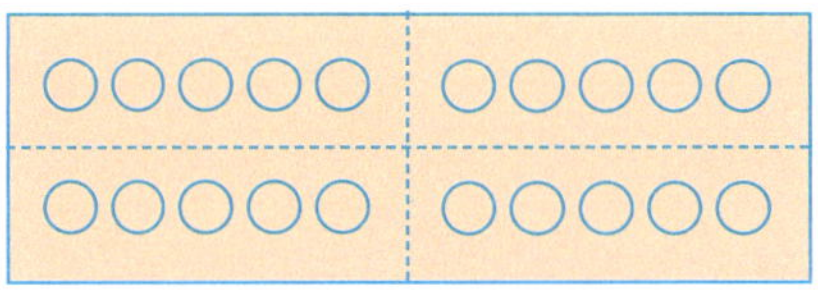

11 – 4 = __

11 – __ – __ = __

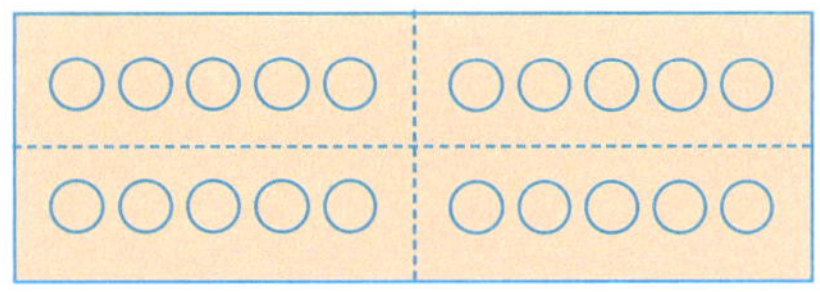

13 – 8 = __

13 – __ – __ = __

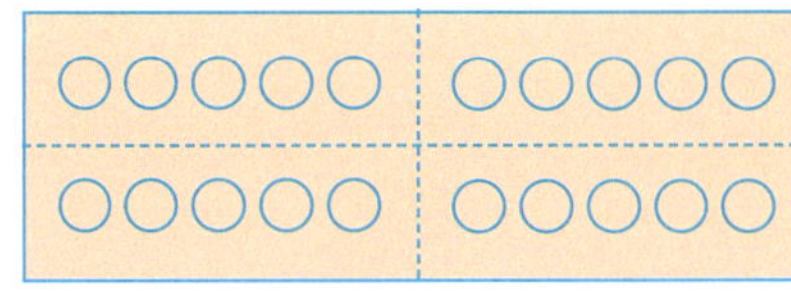

11 – 9 = __

11 – __ – __ = __

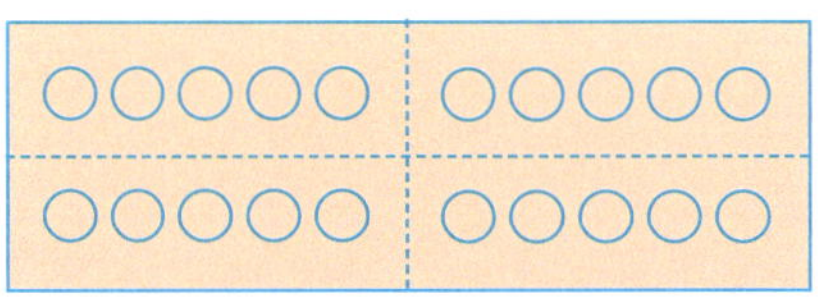

12 – 8 = __

12 – __ – __ = __

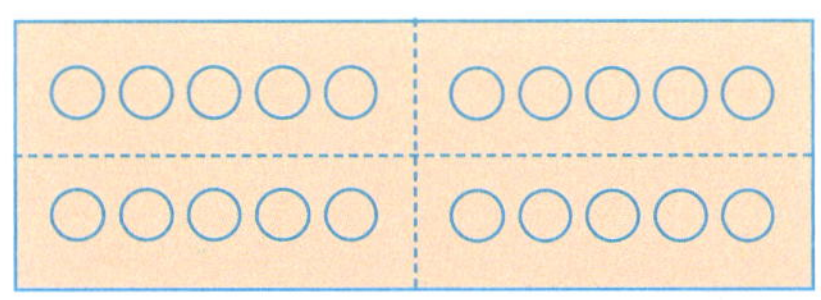

15 – 6 = __

15 – __ – __ = __

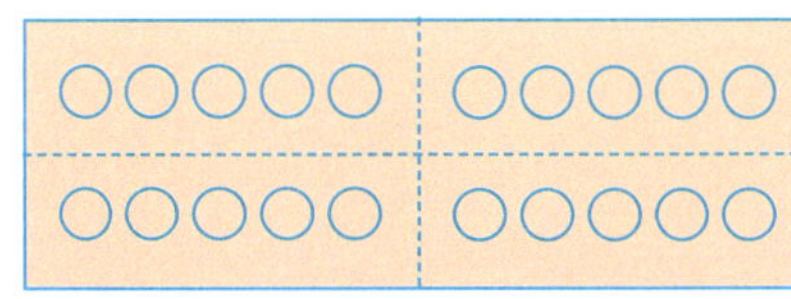

12 – 4 = __

12 – __ – __ = __

2 Welcher Frosch hüpft in welchen Teich? Verbinde.

❶ Rechne und verbinde die Ergebnisse der Reihe nach.

2 + 9 = ___
6 + 8 = ___
6 + 9 = ___
5 + 7 = ___
9 + 4 = ___
9 + 8 = ___

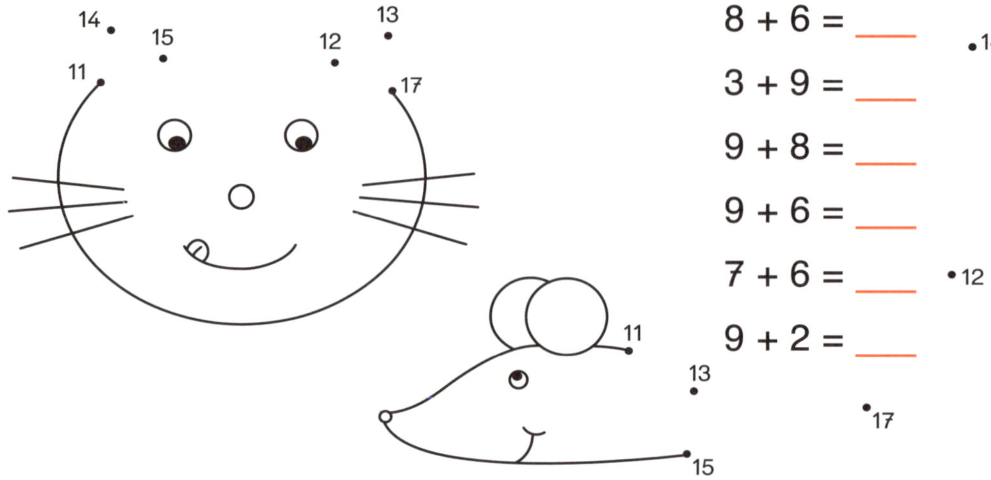

8 + 6 = ___
3 + 9 = ___
9 + 8 = ___
9 + 6 = ___
7 + 6 = ___
9 + 2 = ___

❷

11 − 9 = ___
14 − 9 = ___
15 − 6 = ___
12 − 8 = ___
17 − 9 = ___
14 − 8 = ___
11 − 7 = ___

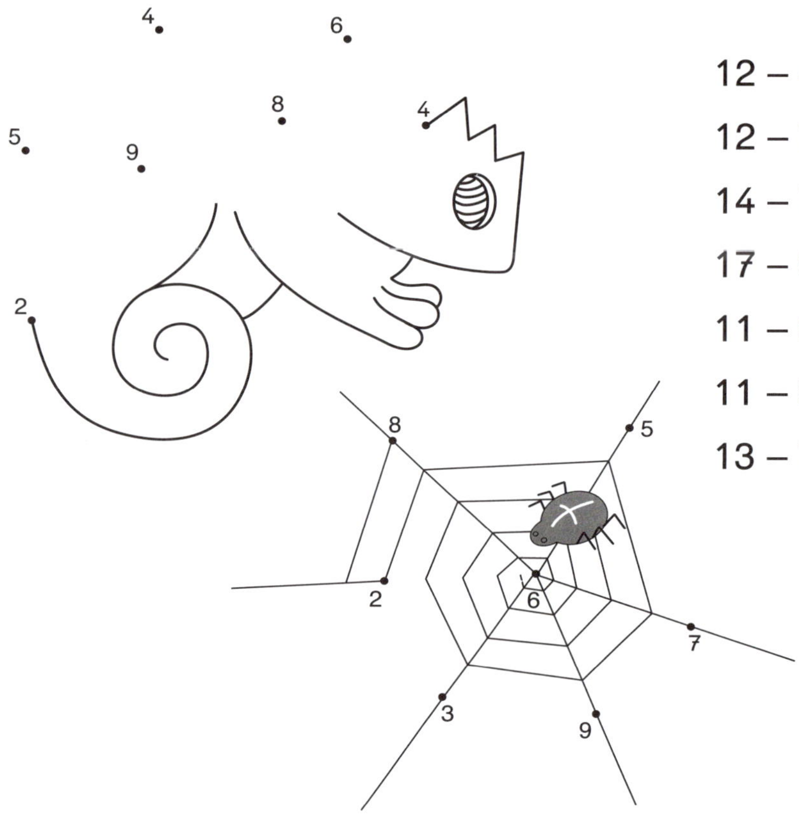

12 − 4 = ___
12 − 7 = ___
14 − 7 = ___
17 − 8 = ___
11 − 8 = ___
11 − 9 = ___
13 − 7 = ___

❸ Maulwurfhöhle
Rechne von links nach rechts oder von oben nach unten.

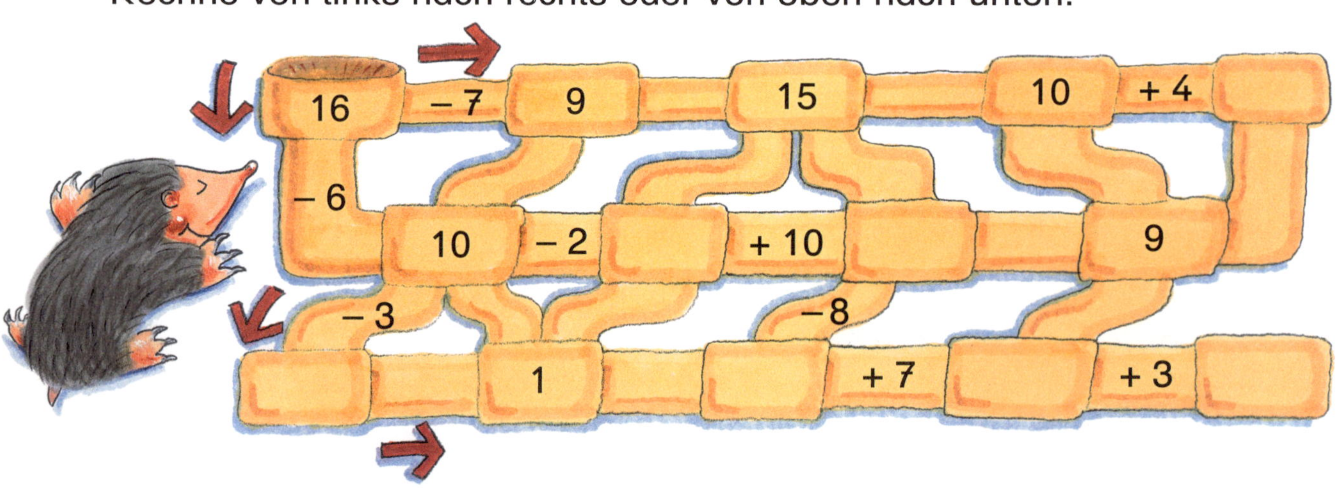

❶ Rechendreiecke zum Legen und Rechnen.

❷

einfach

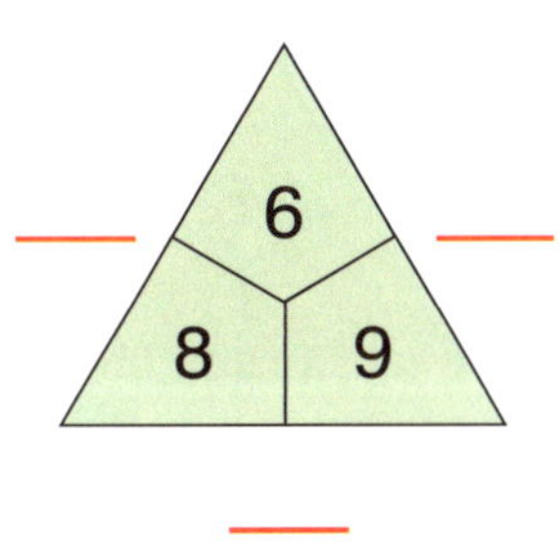

mittelschwierig

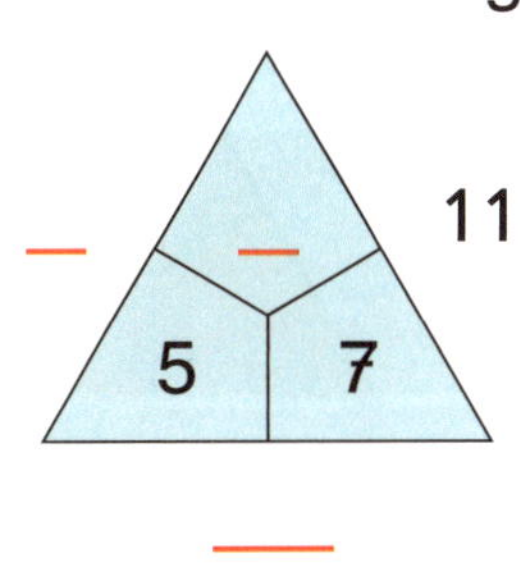

kniffelig

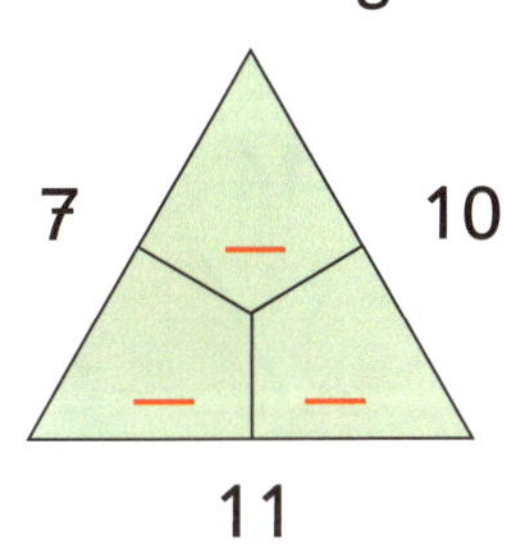

Hier hat alles seine Ordnung!

immer 14

7 + ___
6 + ___
4 + ___
9 + ___
2 + ___
___ + 11
___ + 1
10 + ___
5 + ___

immer 10

2 + ___
6 + ___
___ + 5
___ + 7
___ + 1

immer 16

___ + 3
7 + ___
8 + ___
___ + 11
14 + ___
1 + ___
___ + 12
___ + 6

immer 20

10 + ___
18 + ___
16 + ___
14 + ___
12 + ___
11 + ___
___ + 7
___ + 5
___ + 3
___ + 1
___ + 0

5 + 5 = ___ | 5 + 6 = ___ | 5 + 7 = ___

9 + 9 = ___ | 9 + 8 = ___

12 − 6 = ___ | 12 − 7 = ___

7 + 7 = ___ | 7 + 8 = ___

14 − 7 = ___ | 14 − 8 = ___

16 − 7 = ___ | 16 − 8 = ___ | 16 − 9 = ___

immer 19

19 + ___
18 + ___
14 + ___
7 + ___
11 + ___
1 + ___
___ + 0
___ + 4
___ + 6
___ + 8

immer 15

___ + 9
___ + 7
___ + 6
___ + 8
11 + ___
15 + ___
13 + ___
12 + ___
14 + ___
3 + ___

immer 11

10 + ___
___ + ___
___ + ___
___ + ___
___ + ___
___ + ___
___ + ___
___ + ___
___ + ___
___ + ___

❶ Male und schreibe auf. Buch S. 80, Arbeitsheft S. 56/58

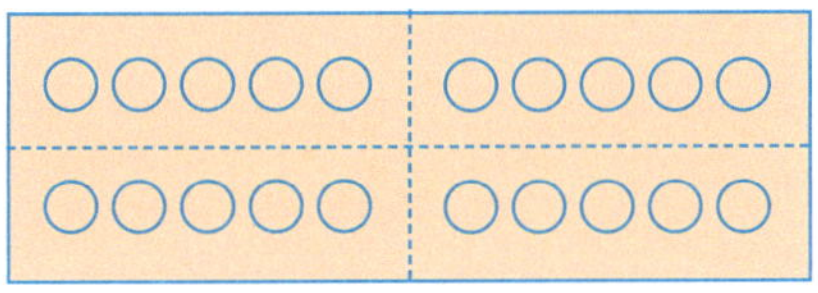

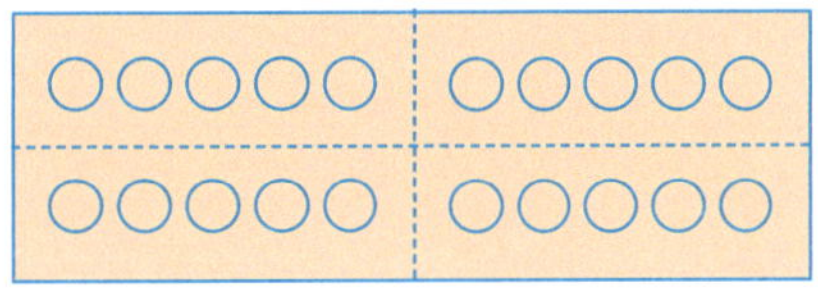

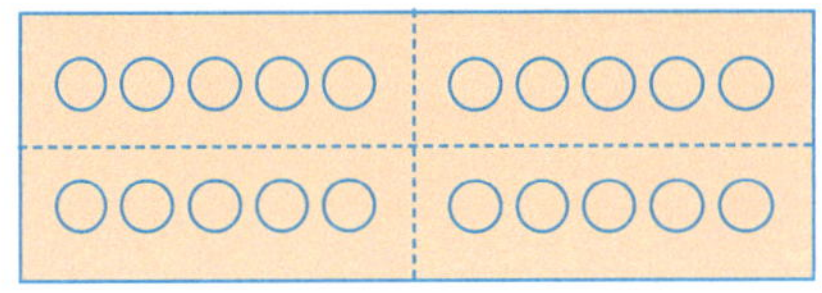

6 + 8 = ___
(6) + (4) + (4) = ___

9 + 7 = ___
9 + _ + _ = ___

8 + 5 = ___
8 + _ + _ = ___

❷ Rechne. Buch S. 80/81, Arbeitsheft S. 58

5 + 5 = ___	8 + 2 = ___	6 + 4 = ___
5 + 6 = ___	8 + 3 = ___	6 + 5 = ___
5 + 7 = ___	8 + 4 = ___	6 + 6 = ___
5 + _ = ___	8 + _ = ___	6 + _ = ___

❸ Male und schreibe auf. Buch S. 81, Arbeitsheft S. 57/58

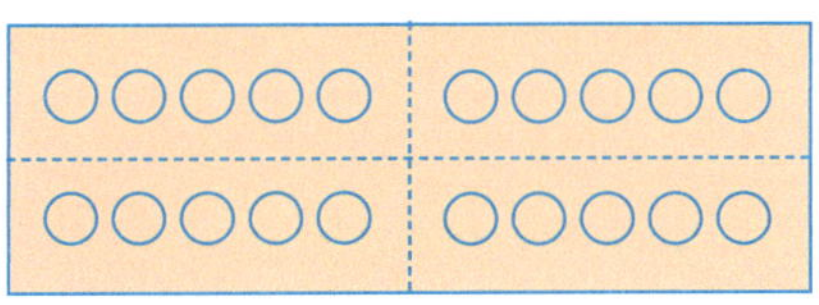

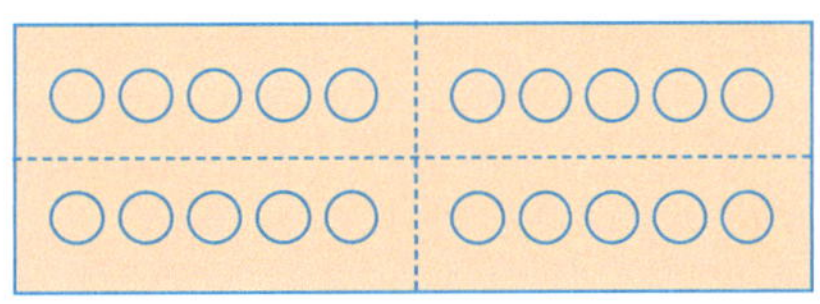

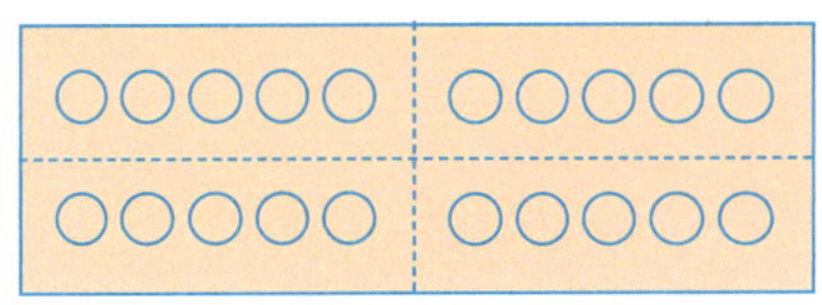

15 − 6 = _
15 − (5) − ( ) = _

13 − 5 = _
13 − _ − _ = _

17 − 9 = _
17 − _ − _ = _

❹ Rechne. Buch S. 80/81, Arbeitsheft S. 58

12 − 2 = ___	14 − 4 = ___	15 − 5 = ___
12 − 3 = ___	14 − 5 = ___	15 − 6 = ___
12 − 4 = ___	14 − 6 = ___	15 − 7 = ___
12 − _ = ___	14 − _ = ___	15 − _ = ___

❺ Rechendreiecke Buch S. 82, Arbeitsheft S. 59/60

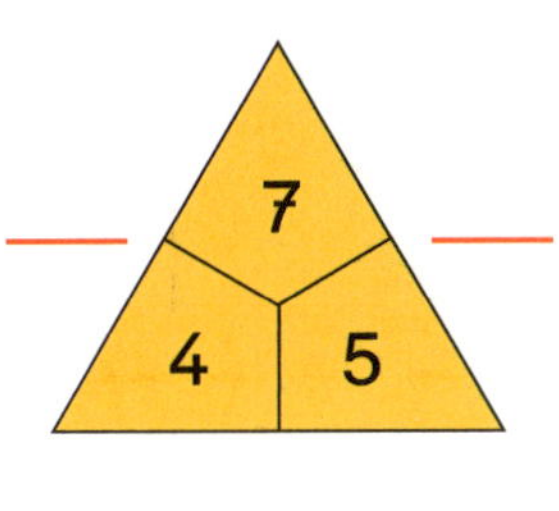

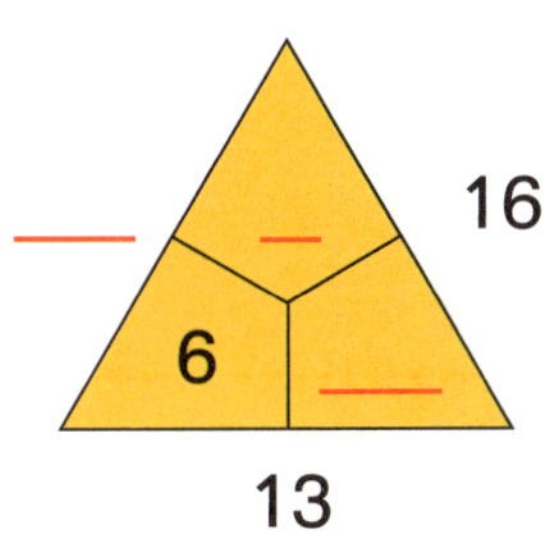

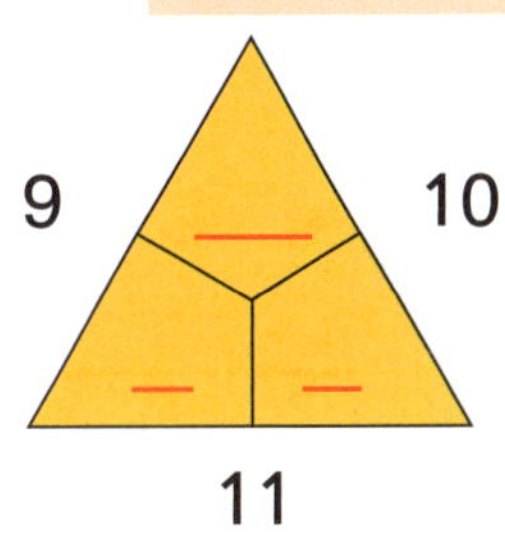

1 Finde zu jeder Geschichte das passende Bild und die passende Rechnung. Verbinde.

Im Klassenraum sitzen schon 9 Kinder. 4 Kinder kommen hinzu.

Im Klassenraum sind 14 Kinder. 6 Kinder gehen hinaus.

9 + 4 = ___

14 + 6 = ___

9 – 4 = ___

14 – 6 = ___

2 Welche Frage, Rechnung und Geschichte gehören zusammen? Verbinde.

In der 1b sind 9 Mädchen und 7 Jungen.

Die 1a hat 16 Kinder. 9 Kinder sind da. Der Rest ist krank.

In der Klasse 1c sind 16 Kinder. 7 davon können schon schwimmen.

Wie viele Kinder sind krank?

Wie viele Kinder sind in der Klasse?

Wie viele Kinder können noch nicht schwimmen?

16 – 7 = ___

16 – 9 = ___

9 + 7 = ___

❶ Male und schreibe die Rechnung dazu.

Jule hat 13 Murmeln.
Leon legt noch 5 dazu.

Rechnung: ___ ◯ ___ = ___

Maximilian hat 17 Aufkleber gesammelt.
Auf dem Heimweg verliert er 4 Aufkleber.

Rechnung: ___ ◯ ___ = ___

❷ Schreibe die Rechengeschichte und rechne.

Rechnung: ___ ◯ ___ = ___

Rechnung: ___ ◯ ___ = ___

❸ Finde die passende Rechnung.

Michael legt 12 blaue Steine auf den Teppich. Leon nimmt 3 Steine weg.

___ ◯ ___ = ___

Franz hat 12 Autos in seiner Kiste. Beim Spielen verliert er 2 Autos.

___ ◯ ___ = ___

Corinna hat 12 Stofftiere. Beim Losen gewinnt sie noch 3 dazu.

___ ◯ ___ = ___

Wege zum Piratenschatz

❶ Wo kommst du an? Zeichne den Weg und male das Ziel.

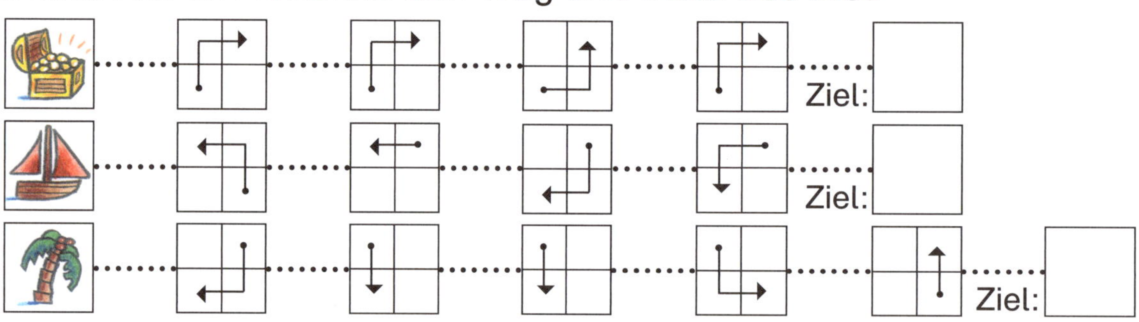

Start: … Ziel:

Start: … Ziel:

Start: … Ziel:

❷ Welcher Weg ist der richtige? Kreuze die Tanne an: ☒.

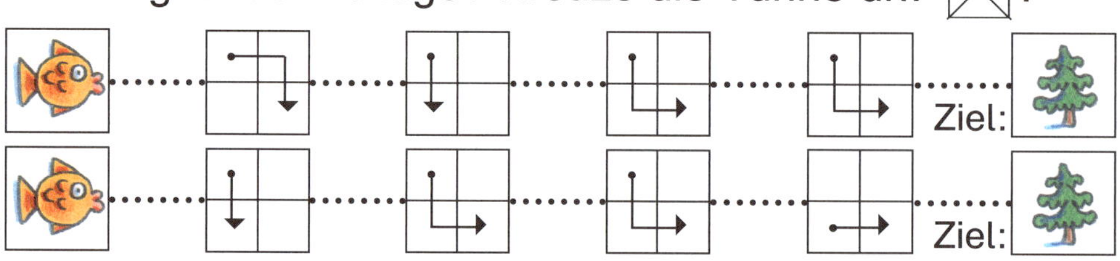

Start: … Ziel:

Start: … Ziel:

❸ Wo ist der Start?

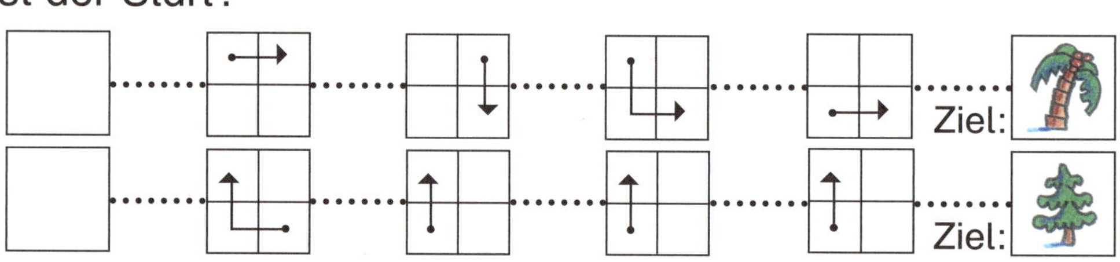

Start: … Ziel:

Start: … Ziel:

1

+	4	5	6
10			
11			
12			

–	3	4	5
20			
19			
18			

–	7	8	9
15			
14			
13			

2

+	3	4	5	6	7
3	6				
13					
4					
	17	18			

–	2	3	4	5	6
6	4				
16					
7					
	15	14			

3

+		6	7
7	12		
		14	
			16

–		2	
		14	
17	16		
18			15

–	8		10
			10
16		7	
	4		

4 Immer 3 Ergebnisse sind falsch. Streiche sie durch.

+	8	9	10
6	14	15	16
8	17	18	18
10	18	18	20

+	4	6	8
1	5	8	9
3	7	9	10
5	9	11	12

–	7	6	5
15	9	9	10
13	6	7	9
11	3	5	6

❶ Rechendreiecke

Buch S. 82, Arbeitsheft S. 59

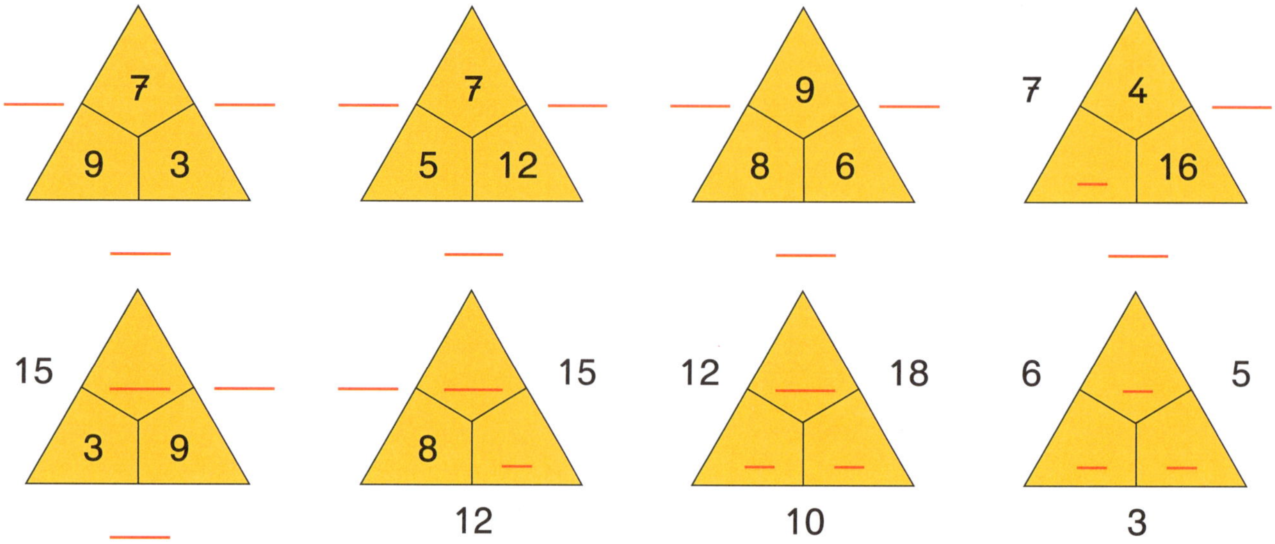

❷ Zauberzahlen

Buch S. 83, Arbeitsheft S. 61

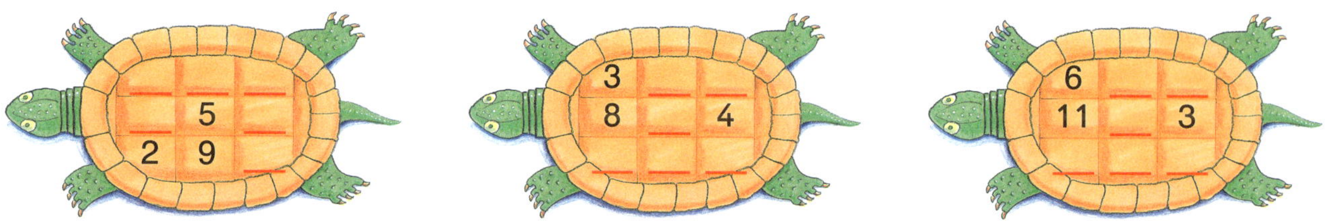

Zauberzahl (15) Zauberzahl (18) Zauberzahl (21)

❸ Rechne.

Buch S. 88, Arbeitsheft S. 67

+	8	4	7		5
6	14				
8				17	
	17				

−		9	8		6
15	8				
13				8	
12					

❹ Kreuze die 3 Fehler in jeder Tabelle an ☒.

Buch S. 88, Arbeitsheft S. 67

+	4	7	8	9	5
2	6	9	10	11	7
8	12	14	16	18	13
7	11	14	13	16	12

−	8	6	9	7	5
12	4	6	4	5	7
15	7	9	6	6	10
11	3	5	2	4	7

❶ Verdopplungsaufgaben als Helfer

7 + 8 = ___
7 + 7 + 1 = ___

5 + 6 = ___
5 + _ + _ = ___

8 + 9 = ___
_ + _ + _ = ___

7 + 6 = ___
7 + 7 − 1 = ___

5 + 6 = ___
6 + _ − _ = ___

7 + 6 = ___
_ + _ + _ = ___

❷ Zur 10 und dann weiter

7 + 5 = ___
7 + 3 + 2 = ___

8 + 4 = ___
8 + _ + _ = ___

9 + 7 = ___
_ + _ + _ = ___

6 + 9 = ___
6 + _ + _ = ___

5 + 8 = ___
5 + _ + _ = ___

4 + 8 = ___
_ + _ + _ = ___

❸ Nahe an der 10

5 + 9 = ___
5 + 10 − 1 = ___

6 + 9 = ___
6 + 10 − _ = ___

8 + 9 = ___
8 ◯ ___ ◯ _ = ___

9 + 7 = ___
10 + 7 − _ = ___

9 + 4 = ___
10 + 4 − _ = ___

9 + 3 = ___
10 ◯ _ ◯ _ = ___

❹ Rechne auf deinem Weg. Löse die Geheimschrift.

6 + 8 = ___ Z
5 + 6 = ___ ___
8 + 7 = ___ ___
14 + 4 = ___ ___
7 + 9 = ___ ___
9 + 8 = ___ ___
7 + 6 = ___ ___
7 + 5 = ___ ___
4 + 5 = ___ ___
13 + 6 = ___ ___
4 + 12 = ___ ___

_ _ _ _ _ _ _ _ _ _ _

9 = K	10 = W	11 = E	12 = T	13 = U	14 = Z	15 = I	16 = R	17 = C	18 = A	19 = B	20 = D

1 Zur 10 und dann weiter

13 – 8 = __
13 – 3 – 5 = __

12 – 7 = __
12 – 2 – __ = __

15 – 6 = __
__ ◯ __ ◯ __ = __

17 – 9 = __
__ ◯ __ ◯ __ = __

14 – 8 = __
__ ◯ __ ◯ __ = __

16 – 9 = __
__ ◯ __ ◯ __ = __

2 Die Hälfte kann dir helfen. Finde je 2 Aufgaben.

16 – 8 = __
17 – 8 = __
15 – 8 = __

14 – 7 = __
__ – __ = __
__ – __ = __

18 – 9 = __
__ – __ = __
__ – __ = __

12 – 6 = __
__ – __ = __
__ – __ = __

3 Nahe an der 10

13 – 9 = __
13 – 10 + 1 = __

15 – 9 = __
15 – 10 ◯ __ = __

14 – 9 = __
14 – 10 ◯ __ = __

16 – 9 = __
__ ◯ __ ◯ __ = __

12 – 9 = __
__ ◯ __ ◯ __ = __

17 – 9 = __
__ ◯ __ ◯ __ = __

4 Rechne auf deinem Weg. Löse die Geheimschrift.

16 – 9 = __ R
14 – 8 = __ __
13 – 4 = __ __
17 – 9 = __ __

12 – 6 = __ __
15 – 10 = __ __
12 – 9 = __ __
13 – 6 = __ __

16 – 12 = __ __
15 – 6 = __ __
11 – 9 = __ __

__ __ __ __ __ __ __ __ __ __ __

0 = Z	1 = D	2 = K	3 = T	4 = I	5 = N	6 = E	7 = R	8 = H	9 = C	10 = A	11 = M

Rechenrätsel mit Murmeln (1)

❶ Wie viele Murmeln waren zu Beginn im Sack?
Schreibe die Rechnung auf.

_ + 10 = 19 ___ ◯ _ = ___ ___ ◯ _ = ___

❷ Was ist passiert? Schreibe die Rechnung auf.

18 ◯ _ = 11 ___ ◯ _ = ___ _ ◯ _ = ___

❸ Löse die Rätsel. Schreibe die Rechnung auf.

_ ◯ ___ = ___ ___ ◯ _ = _ ___ ◯ _ = _

1 Welches Rätsel passt zur Aufgabe? Kreise ein.

a)

7 + __ = 12

Schreibe eine Rechnung für das zweite Rätsel: __ ◯ __ = ___

b)

___ − 5 = 9

Schreibe eine Rechnung für das zweite Rätsel: __ ◯ __ = __

2 Wie heißt das Rätsel zur Aufgabe? Ergänze.

__ + 7 = 15

Ich habe _____ Murmeln im Sack.
Ich gebe __ Murmeln dazu. Nun sind es ___.

3 Rechne.

___ + 3 = 8	18 − 3 = ___	3 + ___ = 11
___ + 5 = 12	___ − 12 = 6	___ − 2 = 19
17 − ___ = 9	17 + ___ = 20	___ + 5 = 15
___ − 9 = 11	20 − ___ = 3	___ + 4 = 17
4 + 8 = ___	___ + 7 = 14	___ − 5 = 8
20 − ___ = 7	2 + ___ = 9	15 − ___ = 12

❶ Trage die fehlenden Zahlen ein.
Male alle Felder mit geraden Zahlen blau an und alle Felder mit ungeraden rot.

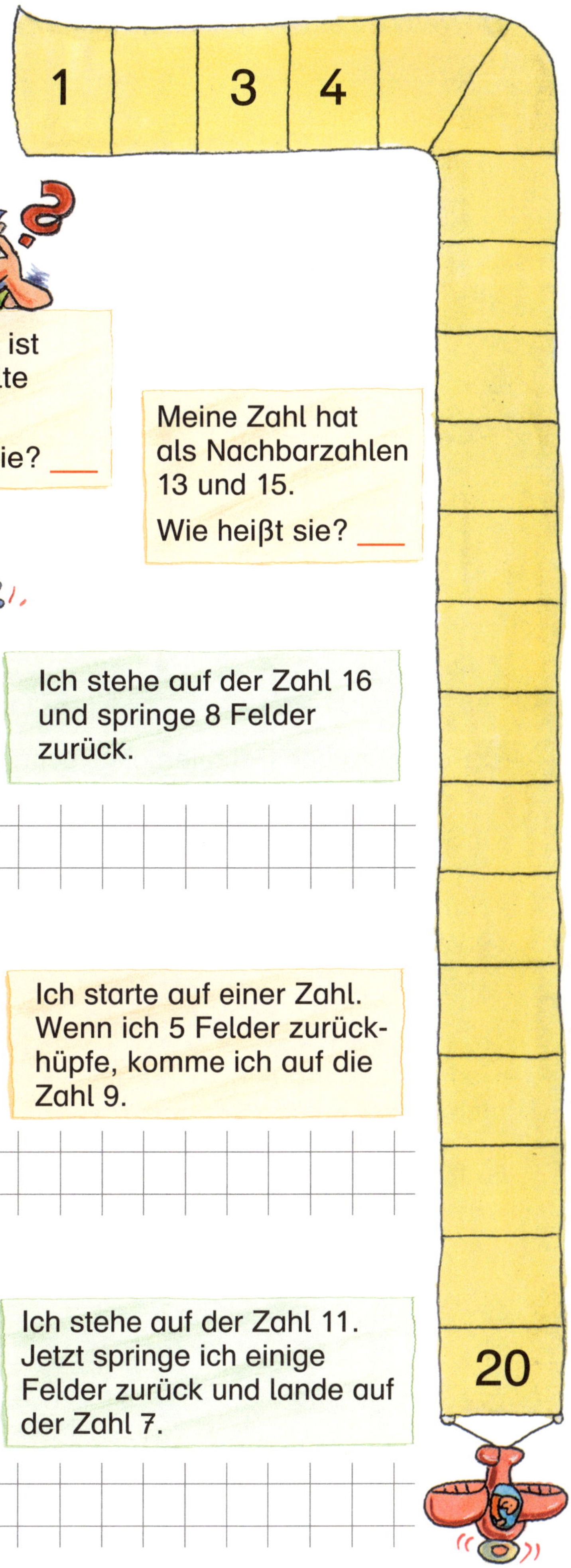

❷ Einfache Rechenrätsel

Meine Zahl liegt zwischen 8 und 10.
Wie heißt sie? ___

Meine Zahl ist das Doppelte von 8.
Wie heißt sie? ___

Meine Zahl hat als Nachbarzahlen 13 und 15.
Wie heißt sie? ___

❸ Zielzahl gesucht

Ich stehe auf der Zahl 15 und springe 3 Felder vorwärts.

Ich stehe auf der Zahl 16 und springe 8 Felder zurück.

❹ Startzahl gesucht

Ich starte auf einer Zahl. Wenn ich 3 Felder vorwärts hüpfe, lande ich auf der Zahl 20.

Ich starte auf einer Zahl. Wenn ich 5 Felder zurückhüpfe, komme ich auf die Zahl 9.

❺ Sprung gesucht

Ich stehe auf der Zahl 16. Jetzt springe ich einige Felder vor und lande auf der Zahl 20.

Ich stehe auf der Zahl 11. Jetzt springe ich einige Felder zurück und lande auf der Zahl 7.

1 Rechne auf deinem Weg.

Buch S. 90, Arbeitsheft S. 69

7 + 5 = ___
8 + 3 = ___
4 + 9 = ___
6 + 6 = ___

9 + 6 = ___
4 + 13 = ___
6 + 8 = ___
8 + 4 = ___

12 + 5 = ___
2 + 14 = ___
7 + 6 = ___
9 + 6 = ___

2 Rechne auf deinem Weg.

Buch S. 91, Arbeitsheft S. 70

14 – 8 = ___
12 – 6 = ___
17 – 4 = ___
15 – 7 = ___

16 – 8 = ___
17 – 5 = ___
11 – 5 = ___
13 – 6 = ___

13 – 9 = ___
17 – 9 = ___
14 – 7 = ___
16 – 6 = ___

3 Rechenrätsel: Schreibe die Rechnung auf.

Buch S. 92 – 95, Arbeitsheft S. 71 – 73

In meinem Sack sind 6 Murmeln.
Simsalabim!
Nun sind es 11.

_ ◯ _ = ___

In meinem Sack sind ein paar Murmeln. Ich gebe 4 Murmeln dazu. Nun sind es 13.

_ ◯ _ = ___

Ich starte auf der 7.
Ich lande auf der 12.

_ ◯ _ = ___

Ich springe 6 Felder zurück.
Ich lande auf der 11.

___ ◯ _ = ___

4 Welche Zahlen fehlen?

Buch S. 92/93, Arbeitsheft S. 72

_ + 8 = 12
5 + _ = 11
_ + 4 = 13

11 – _ = 7
___ – 5 = 8
17 – _ = 9

4 + _ = 11
___ – 6 = 12
15 – _ = 7

❶ Wie spät ist es? Schreibe beide Uhrzeiten auf.

5 Uhr	___ Uhr	___ Uhr	___ Uhr	___ Uhr
17 Uhr	___ Uhr	___ Uhr	___ Uhr	___ Uhr

❷ Zeichne die fehlenden Zeiger und schreibe die fehlenden Uhrzeiten auf.

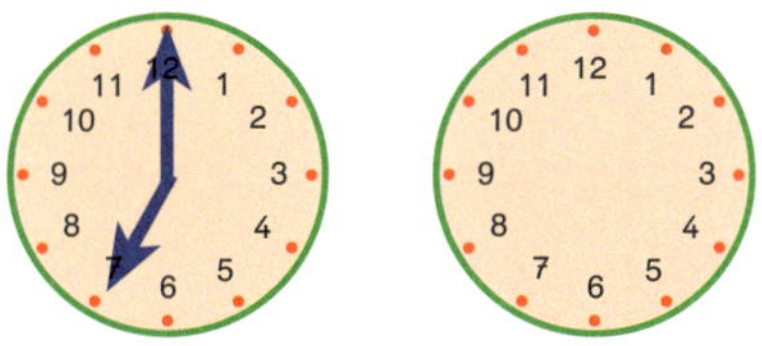

7.00 Uhr 13.00 Uhr
19.00 Uhr ___ Uhr

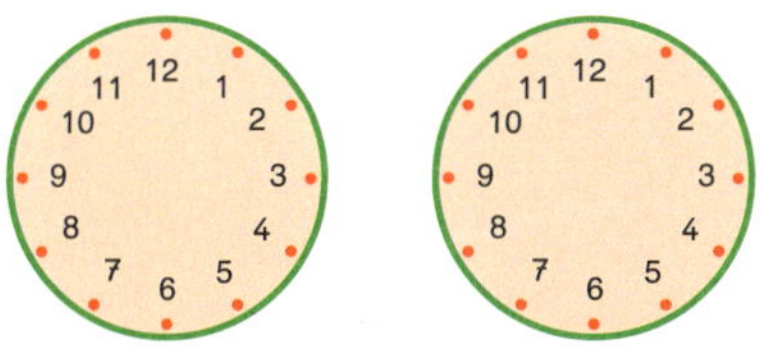

9.00 Uhr 21.00 Uhr
___ Uhr ___ Uhr

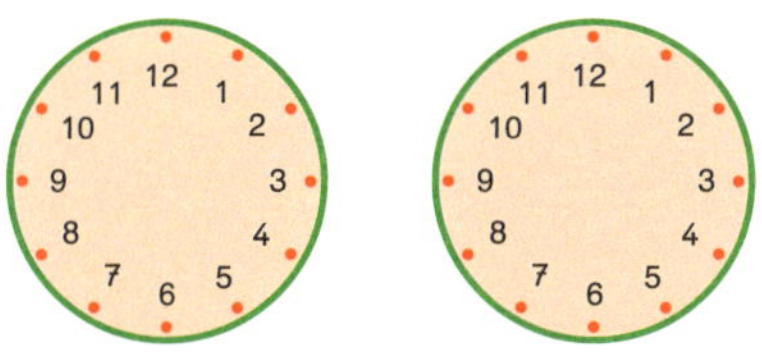

18.00 Uhr 11.00 Uhr
___ Uhr ___ Uhr

❸ Ergänze die fehlenden Uhrzeiten, Zeiger und Wochentage.

Ferienprogramm

Tag	Uhr	Aktion
Montag	 11 Uhr	Wanderung
Dienstag	 16 Uhr	Fußball
Mittwoch	 ___ Uhr	Stadt-Quiz
Donnerstag	 ___ Uhr	Schwimmbad
___	 ___ Uhr	Nacht-wanderung
___	 0 Uhr	Geisterstunde
Sonntag	 13 Uhr	Grillfest

❶

2	4	6

4	3	2

10	1	4

12	3	0

❷

20		
17		
16		

18		
14		
11		

17		
9		
	5	

15		
7		
	3	

❸

	8	
4	7	

	10	
5	2	

7	10	
		5

11	9	
4		

❹

18		
	7	2

20		
6	4	

16		
	0	3

12		
2		2

❺ Große Mauern

19			
15			
	3		
10	2		

6	5	0	2

12	18		
	6		
		5	

❶ 3 Zahlen – 4 Aufgaben

13 5 8

5 + 8 = ___
8 + 5 = ___
13 – 8 = ___
13 – 5 = ___

2 11 9

___ ○ ___ = ___
___ ○ ___ = ___
___ ○ ___ = ___
___ ○ ___ = ___

11 20 9

___ ○ ___ = ___
___ ○ ___ = ___
___ ○ ___ = ___
___ ○ ___ = ___

3 11 14

___ ○ ___ = ___
___ ○ ___ = ___
___ ○ ___ = ___
___ ○ ___ = ___

9 5 4

___ ○ ___ = ___
___ ○ ___ = ___
___ ○ ___ = ___
___ ○ ___ = ___

12 4 8

___ ○ ___ = ___
___ ○ ___ = ___
___ ○ ___ = ___
___ ○ ___ = ___

❷ Finde 2 Möglichkeiten für die 3. Zahl.

13 ___ 7

___ ○ ___ = ___
___ ○ ___ = ___
___ ○ ___ = ___
___ ○ ___ = ___

oder

13 ___ 7

___ ○ ___ = ___
___ ○ ___ = ___
___ ○ ___ = ___
___ ○ ___ = ___

1 ___ 3

___ ○ ___ = ___
___ ○ ___ = ___
___ ○ ___ = ___
___ ○ ___ = ___

oder

1 ___ 3

___ ○ ___ = ___
___ ○ ___ = ___
___ ○ ___ = ___
___ ○ ___ = ___

___ 3 5

___ ○ ___ = ___
___ ○ ___ = ___
___ ○ ___ = ___
___ ○ ___ = ___

oder

___ 3 5

___ ○ ___ = ___
___ ○ ___ = ___
___ ○ ___ = ___
___ ○ ___ = ___

❶ 3 Karten – 2 Aufgaben
Wähle die Karten so, dass es nur 2 Aufgaben gibt.

7	14	___
___	6	12

7 ◯ ___ = ___   ___ ◯ ___ = ___

___ ◯ ___ = ___   ___ ◯ ___ = ___

8	16	___
1	1	___

___ ◯ ___ = ___   ___ ◯ ___ = ___

___ ◯ ___ = ___   ___ ◯ ___ = ___

❷ Zahlenfolgen: Wie geht es weiter?

0	2	4	___	___	___
23	19	15	11	___	___

1	3	5	___	___	___
17	15	13	___	___	___

22	18	14	___	___	___
25	20	15	___	___	___

0	4	8	___	___	___
4	7	10	___	___	___

❸ Du hast 9 Karten. Lege 3 Aufgaben.
Verwende dabei jede Karte nur einmal! Schreibe die Aufgaben auf.

2	3	5	6	~~7~~	8	9	~~12~~	~~14~~

___ ◯ ___ = 7   ___ ◯ ___ = 12   ___ ◯ ___ = 14

❶ Zahlenmauern

Buch S. 98, Arbeitsheft S. 76

❷ Zahlenfolgen: Wie geht es weiter?

Buch S. 99, Arbeitsheft S. 78

Kreise jedes zweite Wäschestück gelb und jedes 3. Wäschestück grün ein.

❸ Zahlenrätsel

Buch S. 94/95, Arbeitsheft S. 73

8 ist das Doppelte von ___.

12 ist um 5 größer als ___.

18 ist um 2 kleiner als ___.

9 ist um 6 kleiner als ___.

5 ist die Hälfte von ___.

16 ist um 7 größer als ___.

❹ Schreibe deinen Rechenweg auf.

Buch S. 90/91, Arbeitsheft S. 69/70

9 + 5 = ___ 7 + 8 = ___ 14 – 9 = ___ 11 – 6 = ___

❺ Tausch- und Umkehraufgaben

Buch S. 90/91, Arbeitsheft S. 69/70

Tauschaufgabe	Aufgabe	Umkehraufgabe	Tauschaufgabe	Aufgabe	Umkehraufgabe
6 + 7 = ___	7 + 6 = ___	13 – 6 = ___		9 + 8 = ___	
	12 + 5 = ___		5 + 6 = ___		
	9 + 7 = ___				16 – 5 = ___
	6 + 13 = ___				11 – 3 = ___

❶ Welche Nummern haben die blauen Plätze? Trage die Zahlen ein.

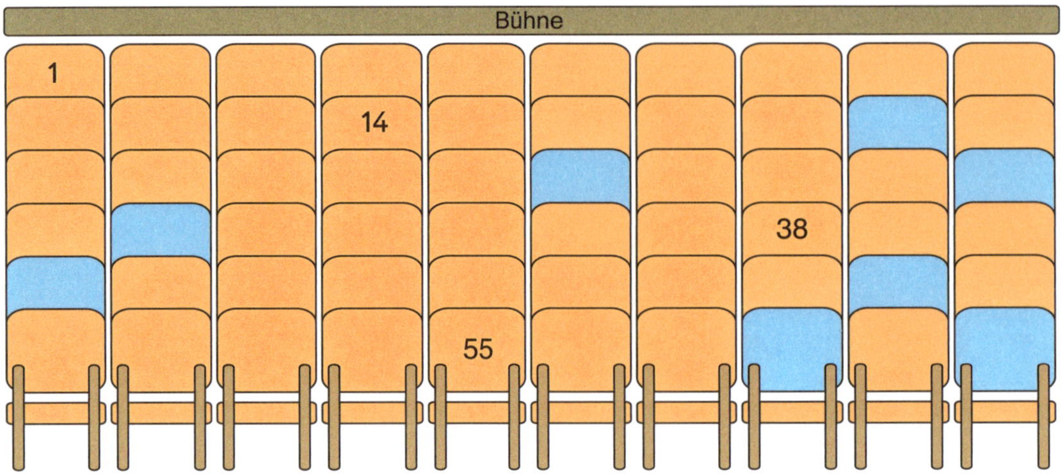

1 . Reihe

___ . Reihe

___ . Reihe

___ . Reihe

___ . Reihe

___ . Reihe

❷ Platznachbarn

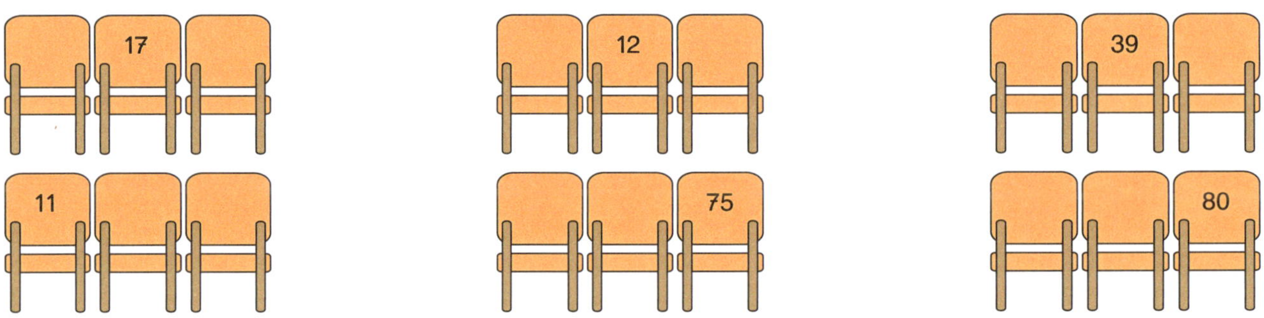

❸ Ergänze die Platznummern.

❹ Auf welchen Plätzen sitzen die Kinder? Trage die Zahlen ein.

Lena: ___ Amelie: ___ Mateja: ___

Stephan: ___ Erkan: ___

Welcher Platz ist zwischen Mateja und Stephan? ___

Welcher Platz ist zwischen Erkan und Lena? ___

❶ Bezahle mit möglichst wenigen Münzen. Zeichne.

9 Cent	(5) ○ ○
14 Cent	
20 Cent	
18 Cent	
15 Cent	
30 Cent	

11 Cent	
8 Cent	
50 Cent	
80 Cent	
25 Cent	
21 Cent	

❷ In welche Münzen musst du wechseln? Ergänze.

14 Cent	 ○ ○
19 Cent	 ○ ○
20 Cent	 ○ ○
25 Cent	 ○ ○
18 Cent	 ○

13 Cent	○ ○ ○
17 Cent	○ ○ ○ ○
20 Cent	○ ○ ○ ○
30 Cent	○ ○ ○ ○
50 Cent	○ ○ ○ ○

❸ Reicht das Geld?

Katharina möchte einkaufen:	Es kostet:	Sie hat:	Reicht das Geld? ja	nein	zu viel/ zu wenig
	10 ct + 5 ct = 15 ct		x		5 ct

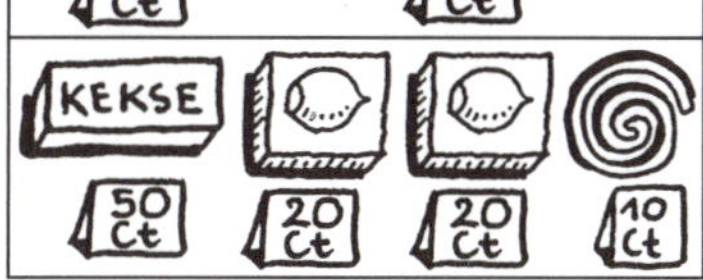					

Ein Quadrat verändert sich

Quadrat Rechteck Dreieck

❶ Was entsteht, wenn du immer 2 Punkte verbindest?

Schau und vermute. Zeichne. Verbinde die Punkte. War deine Vermutung richtig? Kreuze an .

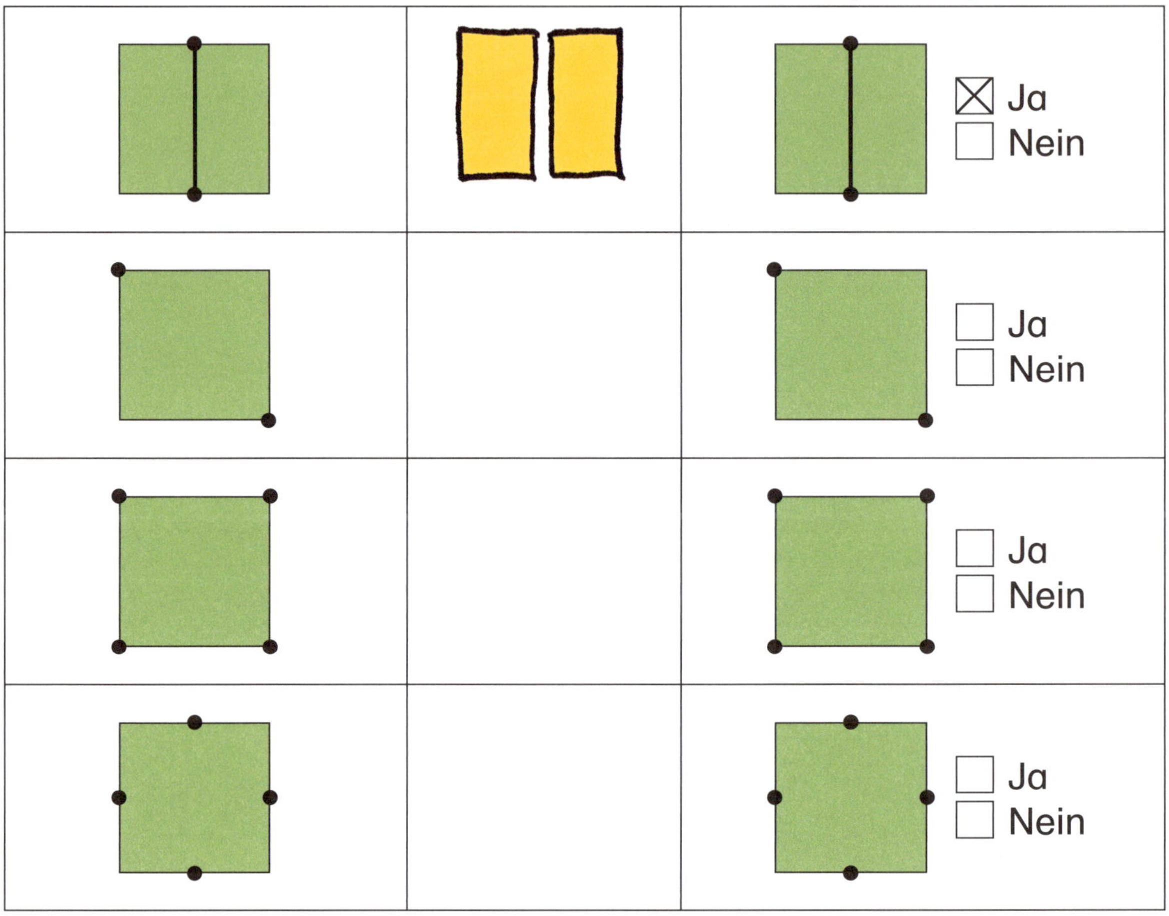

❷ Welche zwei Puzzle-Teile ergeben miteinander ein Quadrat? Kreise in der gleichen Farbe ein.

❶ Gleiche Zeichen stehen für die gleiche Zahl.

❷ Zahl gesucht!
Tipp: Streiche die Luftballons durch, die es nicht sein können!

Die Zahl ist gerade.

Verdoppelst du die Zahl, ist das Ergebnis größer als 8.

Halbierst du die Zahl, liegt das Ergebnis zwischen 2 und 4.

❸ Schwarzes Schaf! Welche Zahl passt nicht dazu? Kreise ein.

❹ Geheimschrift: gleiches Symbol – gleiche Ziffer.

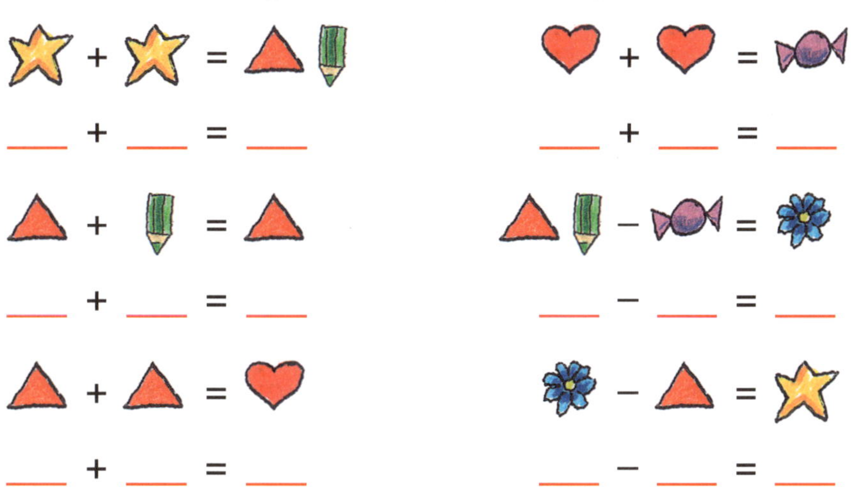

Basiswissen
Zählen und Zahlen darstellen

❶ Wie viele sind es? Zähle schnell.

___ ___ ___

❷ Wie viele sind es? Schreibe auf und male.

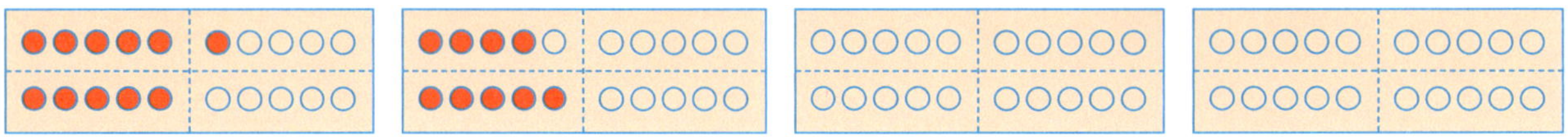

___ ___ 17 14

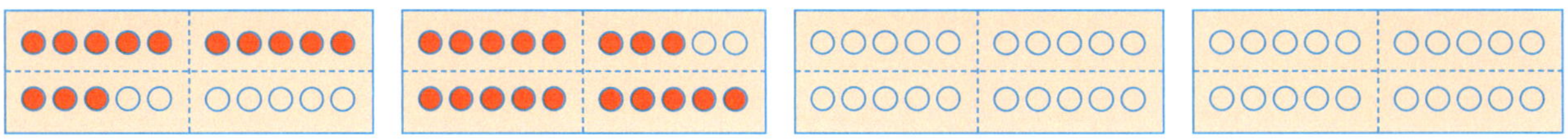

___ ___ 19 15

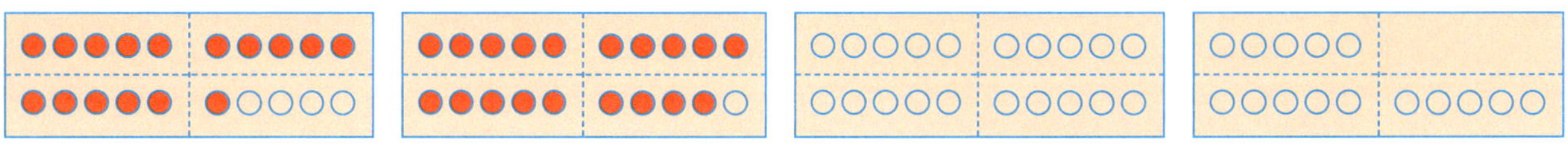

___ ___ 12 20

❸ Immer 4 Karten zu einer Zahl. Ergänze.

18	16		20

1 Z 8 E		1 Z 3 E	
achtzehn			

❹ Wie heißt die Zahl?

Z	E
•	••

___

Simsala nimmt an der Einerstelle ein Plättchen weg. Wie heißt die neue Zahl? ___

Bim legt an der Zehnerstelle ein Plättchen dazu. Wie heißt die neue Zahl? ___

Basiswissen

Zahlen ordnen und vergleichen

❶ Welche Zahlen fehlen?

1, ___, ___, ___, ___, 6, ___, ___, ___, ___

11, ___, ___, ___, ___, ___, ___, ___, ___, 20

Kreise alle geraden Zahlen gelb und alle ungeraden rot ein.

Zähle rückwärts: 20, 19, ___, ___, ___, ___, ___, ___, ___, ___

10, ___, ___, ___, ___, ___, ___, ___, ___, ___

❷ Nachbarzahlen

___ 7 ___ ___ 11 ___ ___ 19 ___ ___ 8 ___

___ 14 ___ ___ 5 ___ ___ 1 ___ ___ 20 ___

❸ Vergleiche: (<), (>), (=).

9 ◯ 10	18 ◯ 19	14 ◯ 15	11 ◯ 11
4 ◯ 14	9 ◯ 10	17 ◯ 13	16 ◯ 12

❹ Ordne die Zahlen der Größe nach. Beginne mit der kleinsten Zahl.

11 2 14 17 7 5 9 3 4 10 8 1 20

___, ___, ___, ___, ___, ___, ___, ___, ___, ___, ___, ___, ___

❺ In Schritten zählen

2er-Schritte: 0, 2, ___, ___, ___, ___, ___, ___, ___, ___ ___.

5er-Schritte: 0, 5, ___, ___, ___.

3er-Schritte: ___, ___, ___, ___, ___, ___, 18.

4er-Schritte: ___, ___, ___, ___, ___, 20.

Basiswissen
Zahlen zerlegen, verdoppeln und halbieren

❶ Trage die fehlenden Zahlen ein.

8	7	9	6
6 + __	4 + __	3 + __	__ + 5
3 + __	2 + __	5 + __	__ + 3
2 + __	6 + __	4 + __	__ + 2
4 + __	3 + __	8 + __	__ + 1
0 + __	7 + __	2 + __	__ + 0

❷

10
10 = 10 + __
10 = 9 + __
10 = 8 + __
10 = __ + 3
10 = __ + 4
10 = __ + 5
10 = 4 + __
10 = 3 + __
10 = 2 + __
10 = __ + 9
10 = __ + 10

❸ Die 5 zerlegen

5 = 5 + __	5 = __ + 2	5 = 1 + __
5 = 4 + __	5 = __ + 3	5 = 0 + __

❹ Verdoppeln

0 + 0 = ___	1 + 1 = ___	2 + 2 = ___	3 + 3 = ___
4 + 4 = ___	5 + 5 = ___	6 + 6 = ___	7 + 7 = ___
8 + 8 = ___	9 + 9 = ___	10 + 10 = ___	

Das Ergebnis ist immer eine ________ Zahl.

❺ Halbieren

2 = 1 + ___	4 = ___ + ___	6 = ___ + ___	8 = ___ + ___
10 = ___ + ___	12 = ___ + ___	14 = ___ + ___	16 = ___ + ___
18 = ___ + ___	20 = ___ + ___	0 = ___ + ___	

Plusaufgaben bis 20 (1)

1 Plusaufgaben im Zwanzigerfeld: Schreibe die Aufgabe und rechne.

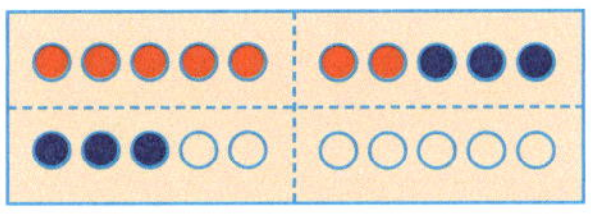

7 + 6 = ___

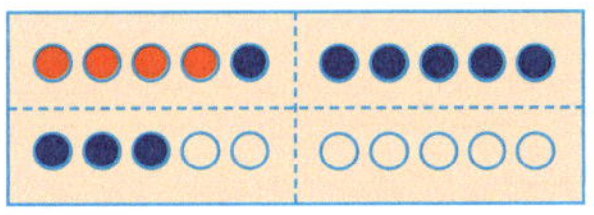

______

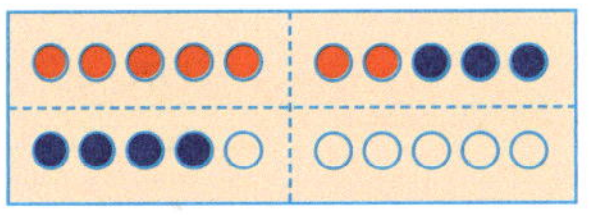

______

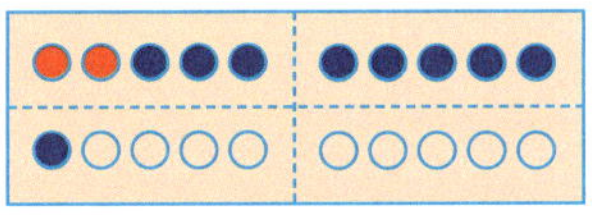

______

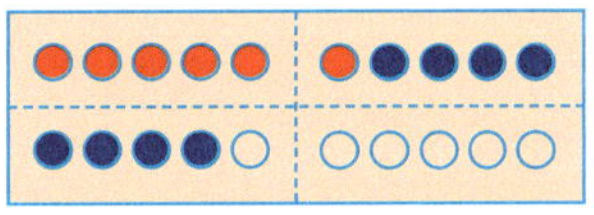

______

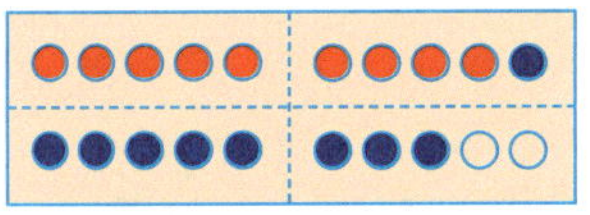

______

2 Rechne.

3 + 5 = ___	6 + 1 = ___	10 + 4 = ___	5 + 5 = ___
4 + 4 = ___	16 + 1 = ___	8 + 10 = ___	15 + 5 = ___
5 + 4 = ___	3 + 15 = ___	10 + 6 = ___	4 + 5 = ___
6 + 3 = ___	14 + 5 = ___	7 + 0 = ___	5 + 6 = ___
7 + 2 = ___	12 + 7 = ___	10 + 10 = ___	9 + 2 = ___

3 Von einfachen zu schwierigeren Plusaufgaben

7 + 3 = ___	8 + 1 = ___	6 + 6 = ___	4 + 10 = ___
7 + 4 = ___	8 + 2 = ___	6 + 5 = ___	4 + 9 = ___
7 + 5 = ___	8 + 3 = ___	7 + 5 = ___	4 + 11 = ___
7 + 6 = ___	8 + 4 = ___	8 + 5 = ___	4 + 13 = ___
7 + 7 = ___	8 + 5 = ___	8 + 6 = ___	4 + 15 = ___

4 Tauschaufgaben

7 + 8 = ___	9 + 5 = ___	6 + 9 = ___	5 + 6 = ___
______	______	______	______

Basiswissen
Plusaufgaben bis 20 (2)

1 Finde die beiden Nachbaraufgaben.

____	6 + 6 = __	____
____	8 + 8 = __	____

____	7 + 7 = __	____
____	9 + 9 = __	____

2 Rechne und setze fort.

3 + 6 = __	5 + 4 = __	3 + 8 = __	5 + 9 = __
3 + 7 = __	5 + 5 = __	4 + 7 = __	6 + 8 = __
3 + 8 = __	5 + 6 = __	5 + 6 = __	7 + 7 = __
__ + __ = __	__ + __ = __	__ + __ = __	__ + __ = __
__ + __ = __	__ + __ = __	__ + __ = __	__ + __ = __

3 Rechne. Welche Rechentricks helfen dir?

Manchmal braucht man auch gar keinen Trick.

4 + 7 = __	4 + 15 = __	2 + 9 = __
____	____	____
7 + 6 = __	8 + 7 = __	8 + 4 = __
____	____	____
5 + 8 = __	6 + 9 = __	9 + 8 = __
____	____	____

4 Rechne geschickt.

3 + 6 + 7 = __	9 + 4 + 1 = __	5 + 4 + 5 = __
7 + 8 + 2 = __	3 + 9 + 7 = __	1 + 9 + 8 = __

5 Ergänze.

6 + __ = 10	9 + __ = 10	4 + __ = 10	8 + __ = 10
16 + __ = 20	19 + __ = 20	14 + __ = 20	18 + __ = 20

Minusaufgaben bis 20 (1)

❶ Schreibe die Aufgabe und rechne.

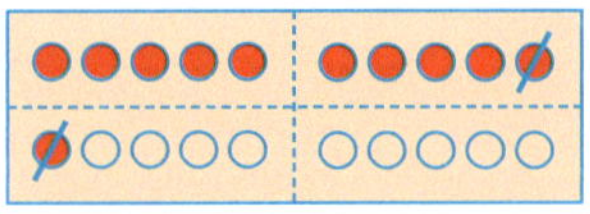

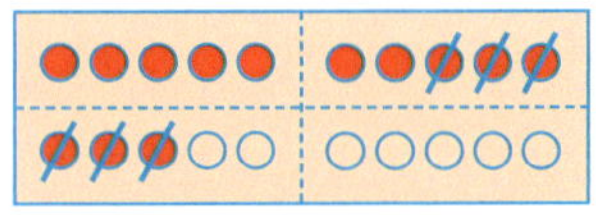

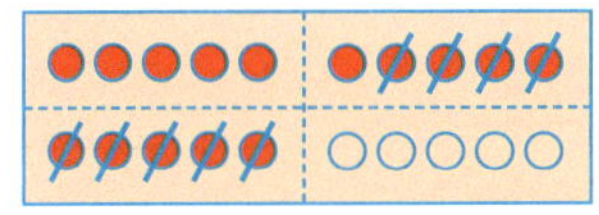

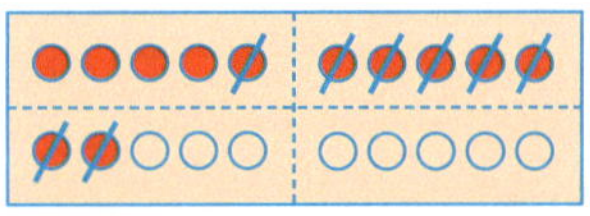

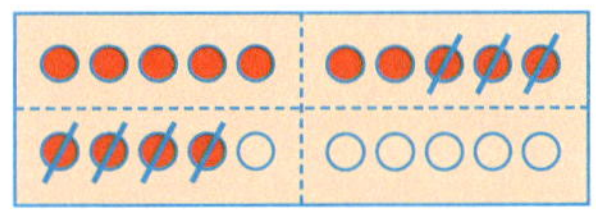

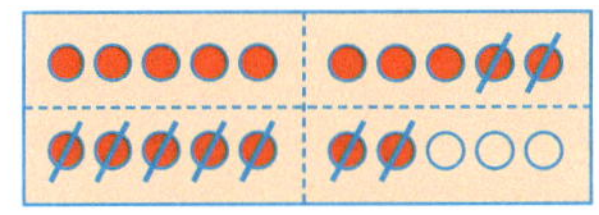

❷ Rechne.

8 – 5 = ___	5 – 3 = ___	14 – 10 = ___	13 – 0 = ___
5 – 5 = ___	15 – 3 = ___	14 – 4 = ___	9 – 3 = ___
9 – 4 = ___	10 – 1 = ___	12 – 10 = ___	17 – 7 = ___
6 – 3 = ___	18 – 2 = ___	16 – 5 = ___	19 – 5 = ___
7 – 2 = ___	12 – 3 = ___	16 – 10 = ___	20 – 7 = ___

❸ Von einfachen zu schwierigeren Minusaufgaben

8 – 1 = ___	16 – 10 = ___	13 – 3 = ___	14 – 7 = ___
8 – 2 = ___	16 – 9 = ___	13 – 4 = ___	14 – 6 = ___
8 – 4 = ___	16 – 8 = ___	13 – 5 = ___	14 – 8 = ___
8 – 5 = ___	16 – 7 = ___	13 – 6 = ___	14 – 9 = ___
8 – 8 = ___	16 – 6 = ___	13 – 7 = ___	14 – 10 = ___

❹ Umkehraufgaben

7 + 5 = ___	8 + 9 = ___	13 – 4 = ___	11 – 5 = ___

Basiswissen
Minusaufgaben bis 20 (2)

❶ Rechne und setze fort.

14 − 4 = ___	16 − 5 = ___	12 − 3 = ___	15 − 6 = ___
14 − 5 = ___	16 − 6 = ___	12 − 4 = ___	15 − 7 = ___
14 − 6 = ___	16 − 7 = ___	12 − 5 = ___	15 − 8 = ___
___ − ___ = ___	___ − ___ = ___	___ − ___ = ___	___ − ___ = ___
___ − ___ = ___	___ − ___ = ___	___ − ___ = ___	___ − ___ = ___

❷ Rechne. Welche Rechentricks helfen dir?

13 − 9 = ___	14 − 9 = ___	12 − 6 = ___
___________	___________	___________
15 − 7 = ___	13 − 7 = ___	17 − 8 = ___
___________	___________	___________
16 − 8 = ___	14 − 8 = ___	11 − 6 = ___
___________	___________	___________

❸ Rechne geschickt.

14 − 7 − 4 = ___	15 − 5 − 6 = ___	11 − 8 − 1 = ___
18 − 6 − 8 = ___	13 − 9 − 3 = ___	12 − 6 − 2 = ___
17 − 7 − 9 = ___	19 − 5 − 9 = ___	16 − 5 − 6 = ___

❹ Platzhalteraufgaben

11 − ___ = 7	___ − 9 = 3	14 − ___ = 7	___ − 7 = 6
13 − ___ = 4	___ − 8 = 2	17 − ___ = 8	19 − ___ = 12
12 − ___ = 5	___ − 4 = 9	___ − 6 = 8	___ − 4 = 8
15 − ___ = 8	___ − 2 = 13	___ − 1 = 19	11 − ___ = 11

Gemischte Aufgaben

1 Vorwärts- und rückwärtsspringen – Wie geht es weiter?

6, 8, 7, 9, 8, ___, ___, ___, ___, 12. Regel: 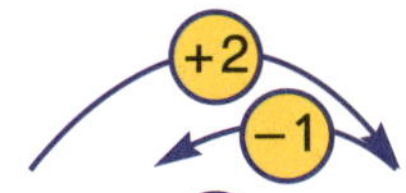

2, 5, 3, ___, ___, ___, ___, ___, ___, 9. Regel: 

0, 4, 3, ___, ___, ___, ___, ___, ___, 16. Regel: 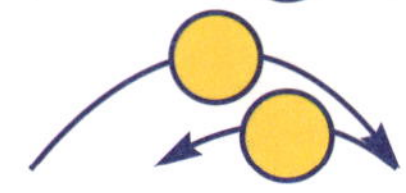

2 Drei Zahlen – vier Aufgaben

6 5 11

7 15 8

8 9 17

3 Zahlenmauern

Mauer 1	Mauer 2	Mauer 3	Mauer 4
( )	20	10	( )
( ) ( )	10 ( )	( ) 8	8 ( )
5 6 3	4 ( ) ( )	1 ( ) ( )	4 ( ) 2

4 Plus- und Minustabellen

+	8	9	10	11
1				
2				
3				

–	5	6	7	8
13				
14				
15				

+	6	7	8	9
3				
6				
9				

5 Findest du die Rechenfehler? Streiche durch und verbessere.

7 + 5 = 12 ___	11 – 5 = 6 ___	14 + 6 = 10 ___	19 – 8 = 11 ___
8 + 4 = ~~13~~ ___	13 – 6 = 7 ___	8 + 9 = 17 ___	11 – 6 = 4 ___
10 + 0 = 0 ___	15 – 9 = 4 ___	5 + 8 = 12 ___	13 – 9 = 2 ___

Basiswissen
Rechenbilder / Rechengeschichten

❶ Welche Rechnung passt? Kreuze an ☒.

☐ 2 + 5 = 7
☐ 7 – 5 = 2

☐ 5 + 2 = 7
☐ 5 – 2 = 3

☐ 2 + 4 = 6
☐ 4 – 2 = 2

❷ Male ein Bild zu diesen Aufgaben.

2 + 3 = 5

4 – 1 = 3

5 – 4 = 1

❸ Ergänze die fehlenden Zahlen.

Im Teich schwammen 6 Enten.
___ Enten laufen weg.

Es sind noch ___ Enten im Teich.

5 Kinder wollen einen Kreis bilden.
___ Kinder kommen dazu.

Jetzt können ___ Kinder ein Spiel im Kreis spielen.

❶ Wie viel Euro?

___ €

___ €

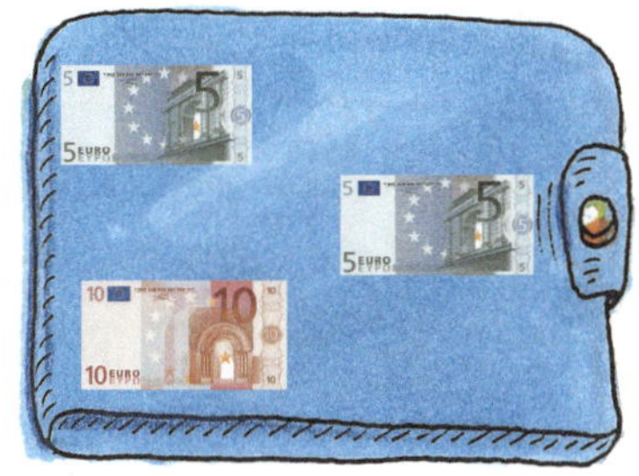

___ €

❷ Ergänze die fehlenden Münzen und Scheine.

13 €

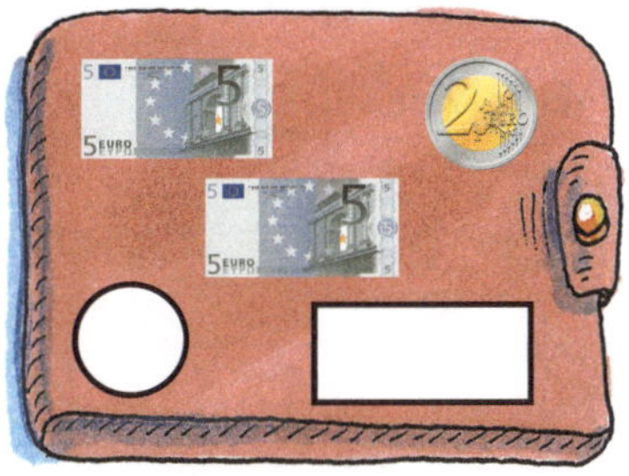

19 €

11 €

❸

a) Leon kauft:

Er zahlt: ___ €

Ayse kauft:

Sie zahlt: ___ €

Jonathan kauft:

Er zahlt: ___ €

b) Maria kauft:

Sie gibt:

Sie bekommt: ___ € zurück.

Stefan kauft:

Er gibt:

Er bekommt: ___ € zurück.

Basiswissen
Lagebeziehungen, Grundformen, Figuren, Muster

❶ Male an:

die oberen Felder rot,
das Feld in der Mitte blau,
das Feld rechts neben dem blauen gelb,
das Feld links neben dem blauen gelb,
die unteren Felder grün.

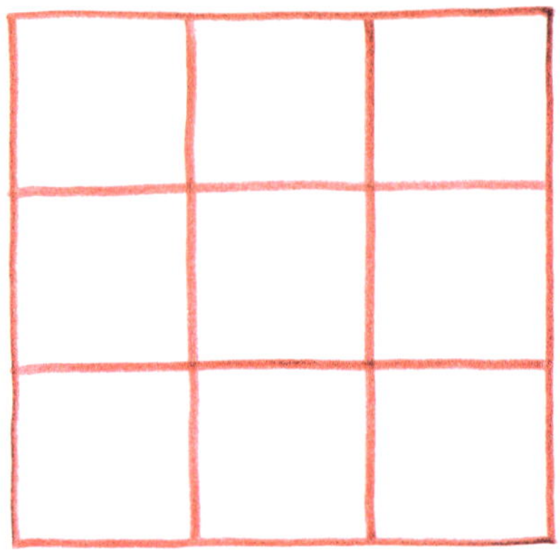

❷ Streiche durch, was nicht in den Sack gehört.

❸ Lege nach:

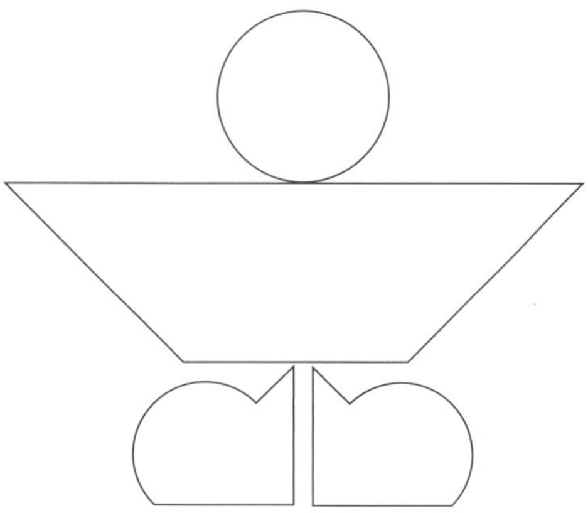

Male die Figur freihändig nach.

❹ Setze die Muster fort.

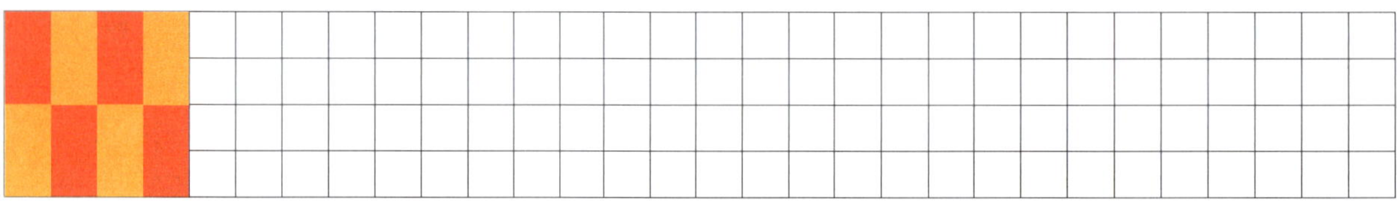

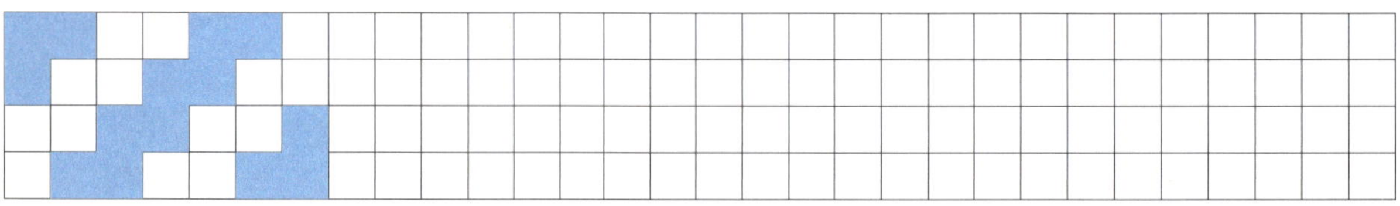

Zeitpunkte ablesen, Zeitspannen schätzen

❶ Trage die fehlenden Zahlen auf dem Zifferblatt ein.

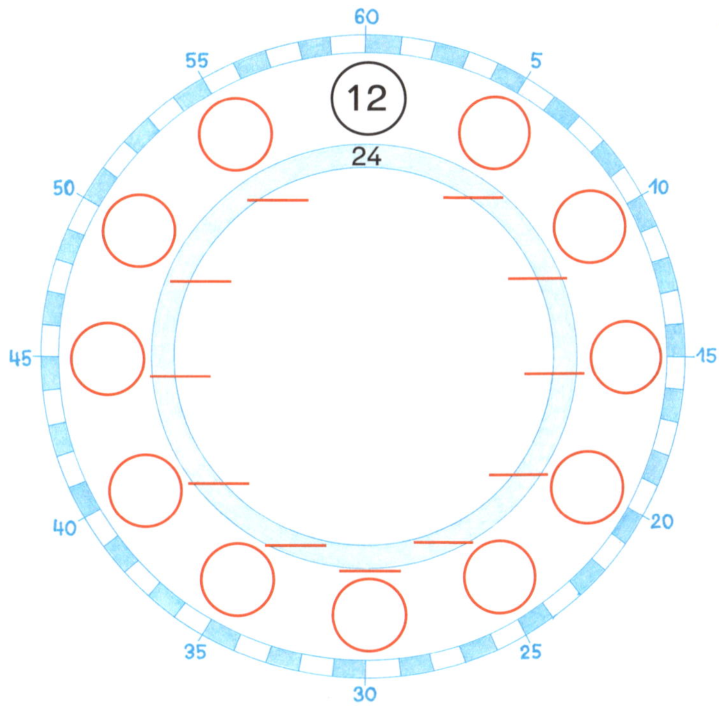

❷ Wie spät ist es? Trage beide Uhrzeiten ein.

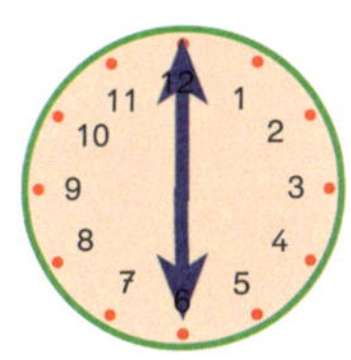

☀ ___ Uhr	☀ ___ Uhr	☀ ___ Uhr	☀ ___ Uhr
☾ ___ Uhr	☾ ___ Uhr	☾ ___ Uhr	☾ ___ Uhr

❸ Zeichne die Zeiger ein.

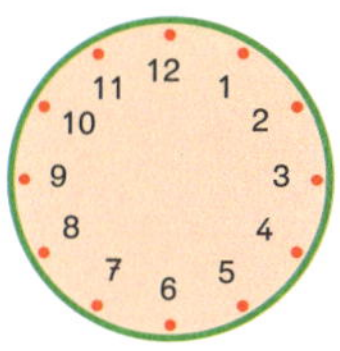
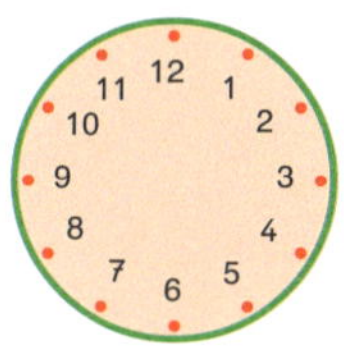
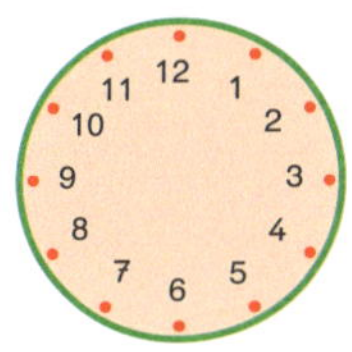
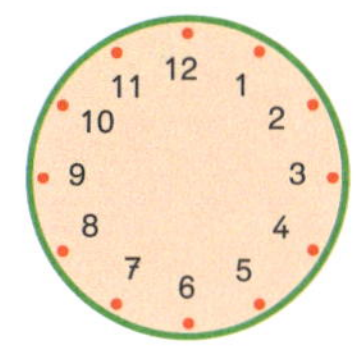

10.00 Uhr	17.00 Uhr	14.00 Uhr	11.00 Uhr

❹ Wie lange dauert ungefähr …?

ein Kinderfilm	die Pause	ein 50-m-Lauf
15 min	45 min	10 sec

Basiswissen

Schaubilder lesen und erstellen

❶ So alt sind die Kinder der Klasse 1a. Das ist das Schaubild dazu.

	I	𝍸 III	𝍸
	II	𝍸 I	IIII

Wie viele Jungen sind 6 Jahre alt? ___

Wie viele Mädchen sind 7 Jahre alt? ___

Wie viele Kinder sind 5 Jahre alt? ___

Wie viele Jungen sind in der Klasse? ___

Wie viele Mädchen sind in der Klasse? ___

Wie viele Kinder sind in der Klasse? ___

❷

In unserer Klasse sind 28 Kinder. Bei den Mädchen sind 2 Mädchen noch 5, 8 Mädchen sind 6 Jahre alt.

15 Jungen sind in der Klasse. 2 Jungen sind noch 5, 9 Jungen sind 6 Jahre alt.

Fülle das Schaubild für die Klasse 1b aus. Findest du die fehlenden Zahlen?